D1530998

TRACCE

biblioteca comunale di imola

Ugo Tamburini. Immagini fra Otto e Novecento di un fotografo imolese
6 giugno – 13 luglio 2014

Mosta progettata da
Biblioteca comunale di Imola, Fondazione Cassa di Risparmio di Imola

Enti prestatori Fototeca della Biblioteca Panizzi (Reggio Emilia); Istituto istruzione superiore "F. Alberghetti" (Imola); Associazione per Imola storico artistica

Si ringraziano Mariella De Martinis per avere messo a disposizione documenti e fotografie di famiglia, Paolo Ciotti, Giampaolo Dall'Olio, Maurizio Flutti, Paolo Gardenghi, Mario Giberti, Sergio e Stefano Turricchia, Grazia Flavia Vistoso

Testi Cristina Castellari, Alessio Mazzini, Silvia Mirri, Chiara Sabattani, Riccardo Vlahov

Catalogazioni Cristina Castellari

Progetto grafico di mostra Grafica BGC

Interventi conservativi Sabrina Borsetti

Allestimenti di mostra Carlo Ferri, Luigi dal Re, Stefano Sella, VM Audio Equipe

Riproduzioni Fausto Rivola, Fototeca Panizzi Reggio Emilia, Biblioteca comunale "Luigi Dal Pane" di Castel Bolognese

Realizzazione multimediali Fondazione Cassa di Risparmio di Imola

Si ringraziano inoltre Anna Attiliani, Claudia Baroncini, Gessica Boni, Franco Camaggi, Antonio Caranti, Simona Dall'Ara, Carlo D'Onofrio, Andrea Ferri, Patrizia Filipponi, Laura Gasparini, Claudia Giuliani, Monica Leoni, Lea Marzocchi, Feride Melandri, Paola Mita, Paola Pilandri, Daniela Poggiali, Massimo Pomponi, Maria Rugiero, Pier Paolo Sangiorgi, Famiglia Visani, Archivio Visani di Lugo, Donatella Zanotti

© 2014 Fondazione Cassa di Risparmio di Imola – Biblioteca comunale di Imola - Gabriele Angelini Photo Editore
Via F. Orsini, 11 – 40026 Imola (BO)
Tel.-Fax 0542-28711 E–mail info@angelinieditore.it
www.angelinieditore.it

ISBN 978-88-87930-75-7

Indice

Una vita di fotografie

Silvia Mirri

Da qualche anno a questa parte, la fotografia ha subito un decadimento sensibilissimo; e ciò forse per quella malsana invasione di macchine fotografiche, predicate sulle quarte pagine dei giornali per ragioni di economia e di comodità […] Da una parte infatti, noi vediamo una pleiade di mestieranti, i quali commerciano per ragioni di vivere; e sono i fotografi di certe piccole città di provincia che tirano innanzi alla meglio solleticando e soddisfacendo le piccole velleità estetiche di qualcuno; da un'altra vediamo una quantità eccessiva di dilettanti che sfogano la loro fotografomanìa, agli angoli delle strade, o sulle rotonde degli stabilimenti balneari o negli ippodromi delle corse, o lungo le gite rallegrate dalle gaie brigate di signore e signorine […] Da tutta questa mania invadente pochi si sono salvati, i quali con vero intelletto d'arte hanno seguita, serenamente, la via intrapresa, come non curandosi di quanto accadesse all'infuori del loro cammino; alcuni fotografi di professione, i quali con una certa genialità ci danno opere veramente notevoli (e questi sono gli Schemboche, i Brogi, gli Alinari ecc.); altri, dilettanti, nel significato più eletto della parola, i quali fanno voto dell'arte vera e buona. Di questi ultimi è Ugo Tamburini romagnolo.

 il 1898 e così si esprime Luigi Orsini, giovane e brillante poeta e conferenziere imolese, in uno scritto intitolato *Un valente fotografo. Studio critico artistico*, conservato presso la Biblioteca comunale di Imola tra le carte di Ugo Tamburini[1].

---

[1] Luigi Orsini, *Un valente fotografo. Studio critico artistico*, gennaio 1898. Bim, *Miscellanea manoscritti*, ms. n. 55, p. 1. Il manoscritto è conservato all'interno di una cartella, realizzata da Tamburini stesso, di documenti, lettere, ritagli di giornale che vanno dal 1866 al 1903 e in seguito donata alla Biblioteca. Insieme allo scritto di Orsini, tale documentazione ha costituito una traccia per ripercorrere le fasi salienti della sua vita pubblica e professionale fino al 1903.

Ugo Tamburini, *"La mia prima fotografia"*, 1886, cianotipo, 146x107 mm, in *Album famiglia Tamburini.* Fototeca Biblioteca Panizzi - Reggio Emilia, n. inv. 82687 (deposito Mariella De Martinis)

Il sindaco

In gioventù Tamburini frequenta i circoli culturali e i ritrovi cittadini più in vista e partecipa ai primi fermenti politici della città. Come si legge nella Cronaca Cerchiari, nel 1872 a casa Tamburini in via Emilia 311, viene istituito «un circolo popolare [...] allo scopo di stringere vieppiù fratellanza, ed accrescere l'educazione e l'istruzione del popolo, e spingerlo così al vero progresso»: tale Società democratica è inaugurata il 24 novembre[8].

Imola, sebbene ancora governata da un gruppo moderato che fa capo al

---

[8] *La vita sociale e politica imolese. Dalla Cronaca Cerchiari, 1865-1883*, Imola, University press Bologna, 1992, p. 100. Tra il gli esponenti del consiglio direttivo non è citato il padre Ercole, deceduto in quello stesso anno.

conte Giovanni Codronchi, vede crescere nutrite forze d'opposizione, composte da democratici, radicali, repubblicani e anarchici, sospinte da un'avanguardia sempre più matura di socialisti.

Tra questi la figura carismatica è Andrea Costa, coetaneo di Ugo, che dal 1882 è il primo rappresentante socialista alla Camera dei deputati. Grazie a Costa Imola diviene un crocevia di relazioni che proiettano la città sulla scena politica nazionale.

Tamburini partecipa alla vita pubblica candidandosi con i democratici alle elezioni comunali nel 1877 e nel 1887, ma è solo alle elezioni del 1889 che risulta eletto consigliere.

In seguito alla vittoria delle forze progressiste durante le elezioni amministrative del 1889, Imola è il primo Comune italiano ad amministrazione democratica e popolare. La nuova Giunta non ha molta esperienza e in seguito alle dimissioni di Luigi Sassi, Ugo si trova in qualità di sindaco alla guida di Imola: è il 6 dicembre 1889[9].

Costa, in quel momento esule a Parigi, segue le vicende politiche locali e lo considera l'uomo giusto poiché valuta che l'indipendenza economica sia «la condizione prima per accettare l'ufficio di sindaco»[10]. Il suo mandato ha breve durata e termina il 5 febbraio 1891[11].

In questi stessi anni Tamburini ricopre cariche amministrative in società cooperative, enti assistenziali, società e comitati imolesi sorti per sostenere i bisogni della popolazione, sovvenzionando personalmente alcuni istituti come l'Opera pia ospizi marini in Imola, fondata dalla Società operaia di mutuo soccorso per alleviare le condizioni dei bambini scrofolosi[12].

---

[9] Bim, *Archivio storico comunale di Imola* (d'ora in poi *ASCI*), *Deliberazioni del Consiglio comunale*, 6 dicembre 1889.

[10] Lettera di Costa ad Angelo Negri e Luigi Sassi datata Parigi 8 novembre 1889 (Bim, *Carte Andrea Costa*, n. 4247). Cfr. anche lettera di Costa a Negri datata Parigi 6 novembre 1889 (*ibid.*, n. 916), in cui rallegrandosi con gli amici per la vittoria, non nasconde preoccupazioni, non trovando nella Giunta nessuna personalità forte a sufficienza per unire le varie individualità del partito e attuare le riforme promesse nel programma elettorale.

[11] Cenni sulla attività amministrativa di Tamburini in *Andrea Costa e il governo della città*, a cura di Carlo De Maria, Reggio Emilia, Diabasis, 2010, pp. 82-83 e 114.

[12] Bim, *Miscellanea manoscritti*, ms. n. 55, in cui sono conservati gli atti di nomina a membro del consiglio direttivo della Società carnevalesca, membro del Comitato di previdenza e beneficenza della Società operaia di mutuo soccorso, segretario del consiglio di amministrazione e poi consigliere della Banca Popolare di Credito, consigliere dell'Unione elettorale della Democrazia radicale, segretario del comitato dell'Opera pia ospizi marini, membro del consiglio d'amministrazione, in rappresentanza dell'Eredità Mancurti, della Società cooperativa edilizia, presidente del Comitato permanente per le cucine economiche e il dormitorio pubblico, membro della Società mandamentale del tiro a segno nazionale. Le cariche fanno riferimento agli anni tra il 1884 e il 1894.

«Bisogna lavorare a Ravenna», esorta lo studioso Gaspare Bagli in una lettera indirizzata a Tamburini nel 1894[16]. Qui Tamburini si reca per effettuare una campagna fotografica di oggetti del Museo nazionale, realizzando nel 1894 un album di settanta tavole di formato 21x27, vendute anche separatamente, come descritto nel dettagliato catalogo di vendita che annunciava: «A questa pubblicazione terrà dietro *L'Arte bizantina in Ravenna* - degno coronamento alla prima - così l'opera completa sarà guida sicura allo studioso visitatore»[17].

Nonostante i notevoli investimenti economici effettuati da Tamburini per la realizzazione dell'impresa, l'intermediazione di illustri personaggi come l'imolese Giovanni Codronchi, ministro della Pubblica istruzione nel 1897, gli apprezzamenti ricevuti dallo storico dell'arte Emilio Cavallucci, da Raffaele Faccioli, direttore dell'Ufficio regionale per la Conservazione dei monumenti dell'Emilia, dal ravennate Luigi Rava, ministro della Pubblica istruzione nel 1909[18], le campagne fotografiche ravennati non fruttano a Tamburini il lasciapassare per altri lavori: la condizione di *outsider* di provincia lo costringe a rivedere le sue ambizioni e il progetto di proseguire la serie con una pubblicazione

---

[16] Lettera di Gaspare Bagli a Ugo Tamburini datata 24 ottobre 1894, in cui gli comunica l'apprezzamento dell'archeologo e paleontologo Edoardo Brizio per alcune fotografie: «Egli ci raccomanda a Monaco, Dresda, Berlino, Lipsia, Graz, Zurigo, Strasburgo. Ma bisogna lavorare a Ravenna. Scrivimi quando vuoi che si vada insieme». Bim, *Miscellanea manoscritti*, ms. n. 55.

[17] *Museo nazionale Ravenna, settanta tavole fotografiche, [di] Ugo Tamburini, Imola stabilimento fotografico premiato con medaglia d'argento alle esposizioni artistiche Roma 1893, Amburgo 1893, Milano 1894*, Imola, tip. Galeati, 1894 (Bim, *Miscellanea manoscritti*, ms. n. 55). Dalle ricognizioni effettuate è stato possibile individuare presso alcuni istituti ravennati fotografie realizzate da Tamburini, in particolare presso la Biblioteca Classense l'album delle fotografie del Museo nazionale realizzate dal fotografo imolese, seppure non completo di tutte le settanta tavole, e, presso il Fondo Fotografico Ricci del medesimo istituto, alcune stampe sciolte, mentre presso l'archivio fotografico della Soprintendenza dei beni architettonici di Ravenna si conserva un fondo di lastre dello stesso soggetto, attualmente in corso di riordino e digitalizzazione, oltre a una serie di lastre realizzate da Tamburini a Bologna, Ravenna e Riolo. Alcune immagini di Tamburini compaiono inoltre nel volume di Corrado Ricci, *Raccolte artistiche di Ravenna*, Bergamo, Istituto italiano d'arti grafiche, 1905, alle tavv. 99, 100, 125, 139, 173, 174.

[18] Bim, *Miscellanea manoscritti*, ms. n. 55, dove sono conservate la recensione di Cavallucci e le lettere intercorse tra Tamburini e Giovanni Codronchi, Raffaele Faccioli e Luigi Rava, personaggi che in quegli anni ricoprivano ruoli di vertice nell'ambito della nascente struttura nazionale di tutela dei beni culturali e paesaggistici. Cfr. inoltre *Dalle 'cose di interesse' ai 'beni culturali'*, op. cit., con vasta bibliografia. Qui ci si limita a ricordare che 1891 nascono le prime istituzioni sul territorio preposte alla tutela del patrimonio artistico, gli Uffici Regionali per la Conservazione dei Monumenti, che diventarono Soprintendenze nel 1907. Tra i compiti principali degli Uffici – dieci in tutta Italia – c'era quello di compilare l'elenco degli edifici monumentali del territorio di competenza. È di quegli anni l'avvio di un dibattito circa le modalità di organizzazione di archivi fotografici pubblici, di cui si riconosceva l'utilità per le funzioni di censimento.

dedicata all'*Arte bizantina in Ravenna* sfuma, mancando sovvenzioni adeguate.

Nella realtà imolese Tamburini si affianca a Romeo Galli, aiuto bibliotecario dal 1890 e direttore della Biblioteca comunale di Imola dal 1895 al 1938, che gli affida l'incarico di realizzare la prima documentazione fotografica dei codici miniati e degli incunaboli della biblioteca, successivamente pubblicata come corredo iconografico nel catalogo a stampa[19]. Inoltre realizza riproduzioni di quadri del Museo civico, di chiese e di privati.

Da alcuni scatti di Ugo Tamburini provengono le xilografie che illustrano il fascicolo dedicato a Imola della serie "Le cento città d'Italia", edito da Sonzogno nel 1895 e distribuito come supplemento del quotidiano "Il secolo". Nel fascicolo, secondo l'uso, non vengono menzionati gli autori dei testi, Romeo Galli e Giuseppe Cita Mazzini, né, in calce alle immagini, il nome del fotografo.

Come testimonia Luigi Orsini, Tamburini perfeziona la sua arte, studiando manuali e sperimentando nuove tecniche e si dedica con gusto pittorico alle riprese di paesaggi di Imola e dei dintorni, fino ad avviare una campagna sugli antichi castelli della Romagna.

In parallelo alla fotografia di monumenti, oggetti artistici e paesaggi, nei suoi primi anni di attività Tamburini sperimenta, nell'ambito dei ritratti, un genere peculiare, realizzando una collezione di ritratti di malati psichiatrici, a supporto scientifico degli studi specialistici allora in corso.

In questo periodo infatti la fotografia, oltre ad affermarsi come strumento di conoscenza del patrimonio artistico, si impone progressivamente, nell'ambito delle scienze mediche, come importante strumento diagnostico e didattico. Al 1876 risale il primo tomo dell'*Iconographie photographique de la Salpêtrière*, raccolta fotografica del grande ospedale psichiatrico parigino, nota tra le prime applicazione della fotografia alla psichiatria. Parallelamente in Italia gli studi di fisiognomica, scienza portata in auge da Paolo Mantegazza e poi da Cesare Lombroso, conoscono una vasta popolarità e diffusione e l'uso della fotografia si fa strada all'interno degli ospedali psichiatrici, come nel caso dell'Ospedale San Lazzaro di Reggio Emilia, diretto dallo psichiatra Augusto Tamburini che la introduce nel frenocomio nel 1878, appena nominato direttore[20].

A Imola esistevano strutture ospedaliere di cure psichiatriche di primaria importanza a livello italiano: il Manicomio centrale o di Santa Maria della Scaletta, sorto a partire dal 1869 per volontà di Luigi Lolli, al quale si affianca

[19] Romeo Galli, *I manoscritti e gli incunaboli della Biblioteca comunale di Imola*, Imola, Galeati, 1894.
[20] Arrigo Tamassía, *La fotografia nel nostro manicomio*, in "Gazzetta del frenocomio di Reggio", 4, 1878, pp. 8-12, ripubblicato in *Il volto della follia. Cent'anni di immagini del dolore*, a cura di Sandro Parmiggiani, Ginevra-Milano, Skira, 2005, p. 104.

dagli anni Ottanta come succursale il Manicomio dell'Osservanza, inizialmente costituito da pochi padiglioni e notevolmente ampliato a inizio Novecento, dopo il passaggio nel 1897 del Manicomio centrale alla Provincia di Bologna.

Dalle testimonianze di Luigi Orsini sappiamo che Tamburini all'inizio degli anni novanta è in relazione con il medico Giuseppe Seppilli[21], vicedirettore del Manicomio centrale. Sotto la sua guida scientifica realizza per la fine del 1892 una collezione di circa quaranta ritratti di malati, stampati su carta albuminata nel formato 13x18, servendosi di un obiettivo Voigtländer et Sohn. Su incoraggiamento di alcuni amici le invia all'esposizione nazionale organizzata a Roma nel 1893 dall'Associazione degli amatori di fotografia[22], dove viene premiato con medaglia d'argento.

A questa esposizione ne seguono diverse altre: nello stesso anno Tamburini partecipa con una sessantina di stampe al platino alla grande mostra di fotografi dilettanti organizzata ad Amburgo e ospitata nei locali della *Kunsthalle*, uno dei musei più importanti della Germania[23], mentre nel 1894 partecipa alle Esposizioni riunite di Milano[24]. In entrambe le esposizioni viene premiato con medaglia d'argento e i successi dell'imolese sono puntualmente descritti nelle cronache locali, che commentano con espressioni di salda fiducia nel progresso, nella modernità e nella scienza.

Delle immagini esposte, *pazzi omicidi, imbecilli ed idioti, epilettici ed isteriche, diverse forme di pazzia,* collocate nelle sezioni di interesse medico non accessibili al pubblico, non ci è giunta documentazione, mentre immaginiamo quante suggestioni e conoscenze Tamburini potesse trarre, nell'atmosfera cosmopolita delle esposizioni, dal confronto con il lavoro di altri fotografi.

[21] Giuseppe Seppilli (1851- 1939) dopo una esperienza presso il manicomio di Reggio Emilia sotto la direzione di Augusto Tamburini, approda a Imola nel 1884 con incarico di medico capo e vice direttore del manicomio. Nel 1894 si trasferisce a Brescia per dirigerne il nuovo manicomio.

[22] L'Associazione degli amatori di fotografia nasce a Roma nel 1888, prima del genere in Italia. Cfr. Piero Becchetti, *La fotografia a Roma*, Roma, Colombo, 1983, pp. 47, 56-57.

[23] La mostra di Amburgo del 1894 (*Verein der Amateur-Photographen*), esposizione fotografica ospitata per la prima volta in un Museo di belle arti, è citata come pietra miliare nella istituzionalizzazione della fotografia come arte, decretandone la sua legittimazione culturale. Si trattava di una mostra esclusiva per amatori, ovvero per persone con ambizioni creative facenti parte delle classe agiate. Alla mostra parteciparono 417 fotografi in rappresentanza di dodici paesi. Cfr. Christian Joschke, *La photographie, la ville et ses notables. Hambourg, 1893,* in "Études photographique", n. 17 (novembre 2005).

[24] *Le esposizioni riunite di Milano 1894*, Milano, Sonzogno, 1895, p. 230.

Da fotografo dilettante a fotografo di professione

Sul passaggio di Tamburini da fotografo dilettante a fotografo di professione non è possibile individuare date precise, in quanto presso la Camera di commercio di Bologna risulta solo la registrazione, nel 1898, relativa a una attività di merceria intestata a Ugo e al figlio Ercole[25]. Nei giornali imolesi dell'epoca compaiono già dalla metà degli anni novanta, per circa una decina di anni, le pubblicità commerciali del suo studio fotografico, che si trovava presso la sua abitazione in via Emilia 60 e 61 (ora via Emilia 92, 94 e 96). La sua attività comprendeva fotografie artistiche di monumenti e paesaggi, riproduzioni e ingrandimenti di ritratti, lavori di sviluppo, stampa e montaggio su cartone per i dilettanti, vedute e monumenti di tutto il circondario d'Imola, ma anche l'imbalsamazione di uccelli e la vendita di cravatte e di articoli di moda[26].

Nel 1896, a causa di alcune fideiussioni assunte per somme rilevanti a cui non riusciva a fare fronte, erano iniziate per il fotografo forti difficoltà economiche che lo avevano costretto a vendere progressivamente tutto il suo patrimonio. Per proteggere «gli ultimi avanzi della passata ricchezza» Ugo nel 1897 dona ai figli Edvige e Gino, minorenni, le due abitazioni di proprietà, la casa di Via Emilia in cui abita la famiglia e un'altra in vicolo Milani 28 [27]. I documenti dell'epoca riferiscono genericamente di difficoltà di natura finanziaria, rispetto alle quali appare coinvolto, per «giovanile inesperienza», il figlio Ercole[28].

---

[25] Archivio storico della Camera di commercio di Bologna, *Archivio delle ditte*, fasc. Tamburini Ugo, 12039. Nelle stesso fascicolo è conservata documentazione relativa al fallimento dello studio fotografico del 1906 con l'annotazione "Non figurava fra i commercianti". Vedi più avanti p. 25.
[26] Le informazioni sono desunte dalle pubblicità pubblicate in: Il "Moto", 10 (1894), n. 22; *Sega veccia. Numero unico. Metà Quaresima del 1895*, a cura di Giuseppe Raffaele Serrantoni, Imola, Lega tipografica, 1895; *Jomla carnuvel. A beneficio degli ospizi marini. 25 febbraio 1895*, a cura di Giuseppe Raffaele Serrantoni, Imola, Lega tipografica, 1895; *Oooh! 5 settembre 1897*, Castel S. Pietro dell'Emilia, Tip. Conti, 1897; *Le sartine, numero unico, 4 settembre 1905*, Imola, Coop. tip. Galeati, 1905.
[27] SASI, *Ufficio del Registro, Atti pubblici*, 11 maggio 1897, n. 255 (donazione dei beni tra i figli Ercole, Edvige e Gino. Dei beni rimasti le case superstiti vanno ai figli Edvige e Gino, mentre a Ercole i due palchi a teatro, quello dei Tamburini e quello dei Gramigni). Questa donazione è l'atto che conclude una serie di vendite con cui Tamburini, nell'arco di pochi mesi, aveva ceduto progressivamente il proprio patrimonio. Anche questi precedenti atti di vendita sono conservati presso SASI.
[28] Ercole affianca il padre nel suo lavoro e si interessa alla vita politica locale collaborando alla redazione di numeri unici e periodici, tra cui il giornale socialista "Il momento". È tra i sedici componenti del *Club degli audaci*, circolo imolese attivo tra gli ultimi anni dell'Ottocento e i primi del Novecento, animato con giovanile spensieratezza, tra interessi culturali e goliardici, da Giuseppe Cita Mazzini, Angelo Negri e Luigi Orsini. Nel 1897 rimane affascinato

È in seguito a questi fatti che Tamburini apre un'attività commerciale: senza più rendite né beni, Ugo oramai può contare solo sul suo lavoro per sostenere la famiglia, vivendo un'intima tragedia familiare in seguito alla quale ridimensiona, ma non abbandona, la vivace intraprendenza con la quale aveva vissuto le sue prime avventure in fotografia.

Negli anni seguenti infatti realizza un nuovo lavoro, avviando un'opera a dispense dedicata ai monumenti imolesi, "Imola e i suoi dintorni. Album fotografico storico dello stabilimento Ugo Tamburini", nei progetti iniziali previsto in trenta uscite. Nel 1899 escono le prime due dispense, la prima dedicata alla Rocca Sforzesca e alla Beata Vergine delle Grazie, la seconda alla Biblioteca comunale; nel 1900 la terza e ultima, dedicata a palazzo Paterlini Calderini, chiamato anche palazzo Sforza, e a Palazzo Machirelli Dal Pozzo[29].

Prosegue la collaborazione con il manicomio, documentata dai pagamenti registrati nei libri mastri per gli anni che vanno dal 1896 al 1904[30]. A questo periodo si fanno risalire i ritratti fotografici, trecento *carte de visite* oltre ad alcune decine di stampe di maggiore formato, realizzati a scopo identificativo e di studio, tuttora conservati nell'archivio del Manicomio dell'Osservanza.

Nel 1898, come ci racconta Orsini, partecipa con la raccolta dei ritratti dei pazzi del manicomio all'Esposizione generale italiana a Torino «alla quale mandò una raccolta di circa 200 esemplari dello stesso genere portando la fotografia in un novissimo campo scientifico. Voglio dire delle asimmetrie facciali e delle sovrapposizioni dei vari tipi». Con la collaborazione di Raffaele Brugia, psichiatra e direttore del Manicomio centrale di Imola, Tamburini mette infatti a punto un nuovo metodo per lo studio delle asimmetrie facciali, sostituendo «le negative su lastre di vetro con negative in pellicola, in guisa di poter stampare il ritratto a fronte e a tergo e con tal processo comporre ciò che io chiamo le emifusioni»[31].

Le sperimentazioni di Tamburini inoltre prevedevano delle modalità di impressione su un'unica lastra di diversi ritratti di pazienti, affetti dalla stessa

dalla campagna di sottoscrizioni promossa da Ricciotti Garibaldi e Amilcare Cipriani "pro Candia", arruolandosi nella legione di militari volontari garibaldini che combatte in Grecia contro i Turchi e prendendo parte alla battaglia di Domokos. La guerra si rivela presto ben più che una scampagnata, diversi furono i compagni morti e Ercole stesso rientra in Italia molto provato. Di questa esperienza Ercole lascia memoria in *Alla Campagna di Grecia* (Imola, Lega Tipografica, 1897). Nel 1904 parte per l'Argentina dove si stabilisce esercitando varie attività fra cui quella di fotografo.

[29] *Un tipografo di provincia. Paolo Galeati e l'arte della stampa tra Otto e Novecento*, a cura di Marina Baruzzi, Rosaria Campioni, Vera Martinoli, Imola, Editrice cooperativa A. Marabini, 1991, pp. 211-213.

[30] Bim, *Archivio del Manicomio, Libri mastri*.

[31] L. Orsini, ms., *op.cit.*, p. 10 e sgg.

"Imola e suoi dintorni. Album fotografico storico dello stabilimento Ugo Tamburini", n. 3, giugno 1900

patologia, in modo da ottenere, dalla sovrapposizione dei tratti individuali, una riduzione ai tratti comuni. «Io credo che ciò che il Bertillon è riuscito a fare in servizio della polizia, il nostro Tamburini abbia conseguito a favore dell'antropologia studiata obiettivamente» scrive Brugia a Lombroso, che a sua volta, in una missiva diretta a Tamburini, afferma: «È ora un pezzo che ho ammirati i suoi lavori di fotografia psichiatrica e ho trovato che possono essere di un'utilità straordinaria per l'antropologia e per la psichiatria». Le fotografie di Tamburini, che in quella occasione ha l'onore di essere ricevuto a Torino a casa di Lombroso[32], sono premiate con medaglia d'argento.

---

[32] Lettera di Ugo Tamburini a Cesare Lombroso, datata 10 maggio 1903 (Torino, Archivio storico del Museo di Antropologia criminale "Cesare Lombroso", n. 150/22).

All'inizio del Novecento l'attenzione si sposta dai volti dei malati alle istitu-zioni di ricovero e Tamburini realizza, su commissione dell'ospedale, una cam-pagna fotografica del Manicomio dell'Osservanza, sia degli interni sia degli esterni, per documentare l'efficienza e la modernità dell'organizzazione ospeda-liera. Anche tale documentazione fotografica è tuttora conservata nell'Archivio del Manicomio dell'Osservanza.

Dopo l'esposizione di igiene a Napoli e a Padova nel 1900, la raccolta viene pre-sentata all'Esposizione di igiene ad Ancona nel 1901, in occasione dell'XI Congresso della Società freniatrica italiana, e all'Esposizione regionale romagnola di Ravenna del 1904, in cui il fotografo imolese risulta premiato con un diploma di benemeren-za per la categoria Ospedali all'interno del gruppo Istituti di beneficienza.

Nel 1904 il figlio Ercole decide di stabilirsi in Argentina, dove esercita per qualche tempo la professione di fotografo. Il padre aiuta il figlio fornendogli «le fotografie di tutti i fabbricati, instrumenti scientifici, gli ultimi composti per gli alienati lavoratori, colonie agricole e circa n. 400 tipi di ammalati classificati nelle loro diverse forme di malattia dei due manicomi d'Imola», con le quali partecipa all'Esposizione di igiene di Buenos Aires[33].

Risale al 1904 una prima serie di immagini realizzate per la Scuola comunale di arti e mestieri di Imola, istituita nel 1881 grazie al lascito Alberghetti. La scuo-la costituisce fin dai primi anni una eccellenza nella formazione scolastica citta-dina, come testimoniato anche dai riconoscimenti ottenuti in numerose mostre ed esposizioni. È probabilmente in vista della partecipazione a queste esposizio-ni che Tamburini riceve l'incarico di realizzare le fotografie.

Alcune delle immagini sono conservate nei fondi iconografici della Biblioteca, mentre nell'archivio della scuola stessa, oggi Istituto d'istruzione superiore ITIS-IPIA Francesco Alberghetti, sono conservate oltre ai positivi anche le lastre fotografiche originali.

Negli stessi anni, oltre a documentare con i suoi scatti momenti di vita cittadi-na, come feste religiose o tradizionali, ritrovi e cerimonie, collabora con l'imolese Giuseppe Scarabelli, scienziato aggiornato e innovatore, dai vasti interessi in

---

[33] Allo scopo di favorire il figlio, Ugo Tamburini scrive a Cesare Lombroso chiedendogli di introdurlo presso gli ambienti medici di quel paese. La lettera è la stessa citata alla nota pre-cedente. Il medico imolese Giuseppe Cita Mazzini, da poco partito per il Cile, a questo pro-posito si troverà invece a scrivere in un suo taccuino: «Nel Sur, il giornale di questi paesi che esce a Conception, ho letto stamane della esposizione prossima di Igiene a Buenos Aires e che il manicomio di Imola espone n. 1000 o 1500 fotografie interessanti: quelle di Tamburini. E fa molto piacere e mette una soddisfazione nell'animo nel vedere, in terra così lontana, ricorda-to il lontano paese…». Bim, *Carte Giuseppe Cita Mazzini*, b. 6, fasc. 8, n. 1.

ambito archeologico, geologico e paleontologico, che gli commissiona le riproduzioni dei reperti più importanti del Gabinetto di storia naturale da lui fondato e
fotografie degli scavi di San Giuliano, condotti a più riprese tra il 1891 e il 1904.

Imola e la Valle del Santerno

Tamburini disponeva di una discreta collezione di fotografie di Imola e dei
paesi limitrofi, di paesaggi e rocche dell'Appennino romagnolo, da lui realizzata con non poche difficoltà data la scarsità dei mezzi di trasporto, l'inaccessibi-
lità di alcuni luoghi e il pesante bagaglio costituito dall'attrezzatura fotografica.

In occasione dell'Esposizione regionale romagnola del 1904, come si legge
nelle cronache locali, Tamburini progettava di esporre a Ravenna una serie di
fotografie del circondario di Imola, corredate da una descrizione del giovane let-
terato imolese Luigi Orsini[34].

Tuttavia l'idea pare rinviata, in quanto nei cataloghi dell'esposizione ravennate
Tamburini è menzionato solo in relazione alla collezione dei ritratti psichiatrici.

Questi suoi lavori confluiscono invece in un altro progetto ben più ampio,
sempre in collaborazione con Luigi Orsini: la pubblicazione di un volume dedicato a Imola nella prestigiosa serie *Italia artistica* diretta da Corrado Ricci. La
serie, edita a cura dell'Istituto arti grafiche di Bergamo[35], era destinata ad ampia
fortuna, non solo per la scelta di un linguaggio comunicativo colto ma non eru-
dito, ma per l'importanza data alle illustrazioni, che al pari del testo contribui-
vano alla trattazione attraverso una mappa documentata di citazioni visive.

«Non so se qualcuno si sia offerto per Imola»[36], scriveva Romeo Galli a Ricci
nell'agosto 1904 proponendosi per il lavoro. In realtà Orsini, forse grazie all'in-

---

[34] "Cronaca Imolese", 5 (1903), n. 42, p. 4; "La lotta", 6 (1903), n. 44, p. 4.
[35] L. Orsini, *op. cit.* Le fotografie realizzate da Tamburini pubblicate nel volume sono oltre un
centinaio. Gli altri apporti fotografici del volume (circa una decina di immagini) sono del
fotografo e alpinista bolognese Alessandro Cassarini, dello studio Alinari e dello studio bolognese Fotografia dell'Emilia. L'opera è stata riedita, con apparato iconografico modificato
rispetto all'edizione originale, a cura di Gabriele Angelini, e introduzione di Antonio
Castronuovo (Imola, A&G, 2004).
[36] Biblioteca Classense, *Fondo Ricci, Carteggio corrispondenti*, 14961. Nella lettera, datata Imola
12 agosto 1904, Galli scrive «pochi si curano della sua storia [di Imola] e meno dei pochi
oggetti d'arte che essa racchiude per cui credo che ella difficilmente abbia trovato qui un collaboratore. Per l'ufficio che copro e anche in virtù di numerose indagini fatte in archivi pubblici e privati io mi troverei lo dico senza modestia forse in grado di fare una monografia esat-
ta e sicura della nostra città e le domanderei il permesso di presentargliela».

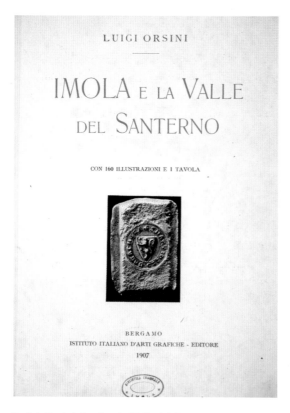

LUIGI ORSINI

IMOLA E LA VALLE DEL SANTERNO

CON 160 ILLUSTRAZIONI E 1 TAVOLA

BERGAMO
ISTITUTO ITALIANO D'ARTI GRAFICHE - EDITORE
1907

Luigi Orsini, *Imola e la Valle del Santerno*, Bergamo, Istituto italiano d'arti grafiche, 1907

termediazione dell'amico Antonio Beltramelli, poeta e giornalista forlivese, già conosciuto a Ricci che gli aveva assegnato la cura dei volumi su Comacchio e sul Gargano, era da qualche mese alla stesura del testo.

Da alcune lettere conservate nel carteggio Ricci presso la Biblioteca Classense di Ravenna[37] sappiamo che Orsini lavora al testo da maggio 1904, commissionando a Tamburini una nuova serie di immagini a illustrare i soggetti più importanti di Imola e dei paesi limitrofi, a integrazione di quelle che già erano a disposizione nell'archivio del fotografo. Orsini aveva ingaggiato Tamburini senza consultare preventivamente Ricci e solo tra giugno e luglio del 1905 Ricci, dopo avere visionato alcune fotografie inviate da Tamburini, prende accordi affinché l'Istituto arti grafiche di Bergamo si faccia carico delle spese per le immagini. Chiarita la questione, di non poca preoccupazione per Tamburini che aveva già lavorato parecchio, il fotografo imolese informa Ricci delle numerose altre richieste di Orsini, chiedendogli preventivamente l'accettazione delle spese relative alla realizzazione delle fotografie che mancano «in quanto ci si spende molto e la rendita è pochissima nei nostri paesi». Nel novembre del 1905 la maggior parte delle fotografie richieste per il volume è pronta[38].

[37] Biblioteca Classense, *Fondo Ricci, Carteggio corrispondenti*, lettere di Luigi Orsini scritte tra il 1904 e il 1911, nn. 26005-26008, lettere di Ugo Tamburini scritte nel 1905, n. 25985 e nn. 35285-35290 bis.
[38] Presso il fondo fotografico Corrado Ricci conservato presso l'Istituto Nazionale di Archeologia e Storia dell'Arte di Roma si conservano una decina di fotografie di Ugo Tamburini, mentre l'archivio delle lastre e le fotografie dell'Istituto arti grafiche di Bergamo sono confluiti nell'Archivio del Centro di documentazione del Touring Club Italiano.

Gli ultimi anni di attività

Nelle lettere di Tamburini a Ricci si avverte chiaramente la fatica di fare qua-
drare i conti. Nuove impreviste difficoltà lo aspettano quando, nell'estate del
1906, la pressione dei creditori lo costringe a dichiarare il fallimento della sua
ditta. Nel fascicolo del fallimento[39], concluso il 24 agosto 1906 con un concorda-
to tra le parti, è conservata una memoria del suo avvocato che così descrive la
sua situazione:

> Da circa sette anni aveva aperto in Imola un piccolo studio fotografico,
> ove si occupava specialmente di ritrarre monumenti e paesaggi. Col rica-
> vo di tale piccola industria egli era in grado di sopperire al mantenimen-
> to della famiglia costituita dalla moglie e tre figli. Per un poco gli affari
> andarono discretamente, ma per una serie di sventure domestiche egli fu
> costretto a contrarre debiti non indifferenti ai quali con non lievi sacrifi-
> ci ha potuto finora fare fronte. Ma le spese di famiglia essendo andate
> man mano aumentando, sia per aver dovuto sopperire alle spese di viag-
> gio ed altro per suo figlio emigrato nella lontana America in cerca di
> lavoro, sia per avere dovuto concorrere quasi totalmente nelle spese di
> istruzione di una sua figlia che oggi frequenta con profitto l'Università
> di Bologna, ove fra non molto conseguirà la laurea in Scienze naturali, lo
> scrivente [sic] si trovava nella assoluta impossibilità di fare fronte al pas-
> sivo di L. 3.200 circa. Oltre a ciò un altro fatto è avvenuto in questi gior-
> ni ad aggravare ancora la sua non buona situazione economica, il fatto
> cioè di atti coercitivi che un suo creditore ha iniziato con un precetto
> immobiliare e conseguente pignoramento di quei po' di oggetti del
> mestiere che formano tutto il suo patrimonio, tutta la sua esistenza.

Come si legge in una memoria successiva, conservata nello stesso fascicolo,
una ditta di cui Tamburini si serviva per i suoi acquisti, la Lamperti &
Garbagnati, importante azienda milanese che vendeva attrezzatura e materiale
fotografico, aveva ottenuto nel marzo del 1906, a fronte di un debito contratto
da Tamburini, il pignoramento delle migliori attrezzature del suo studio, com-
promettendone tutti i futuri guadagni.
Dopo questi fatti il fotografo, pur riducendo sensibilmente la sua attività, continuò a lavorare, eseguendo ritratti, adeguandosi a più modeste commesse tra le

---

[39] SASI, *Tribunale civile di Imola, Piccoli fallimenti*, 1906.

quali riproduzioni di oggetti d'arte della Biblioteca e del Museo civico di Imola[40], e proseguendo la collaborazione fino al 1911 con la Scuola d'arti e mestieri di Imola.

Altri fotografi gli si affiancarono e proseguirono il suo lavoro in città: Cesare Bovesi che, dopo avere lavorato per qualche tempo con Tamburini apre un'attività in proprio[41], e Tullo Galassi, titolare di un affermato studio ereditato dal padre Francesco[42], che alla morte di Tamburini acquisisce e utilizza parte dell'archivio delle lastre, in seguito andato disperso quando giudicato non più idoneo all'uso.

Profondamente segnato dai capovolgimenti di fortuna, Tamburini compare in alcuni ritratti precocemente invecchiato. Nei primi anni del Novecento Imola appare sotto ai suoi occhi profondamente trasformata, uomini come Andrea Costa o Luigi Sassi, punto di riferimento della vita imolese nella seconda metà dell'Ottocento, non ci sono più. È il momento delle memorie: negli ultimi anni della sua vita le fotografie da lui raccolte in alcuni album ricordano l'*Imola scomparsa* e, per dirla con Andrea Costa, l'*Imola nostra*, che aveva visto tramontare una stagione di idee, uomini e sogni[43].

[40] In una lettera di Ugo Tamburini a Romeo Galli datata 21 luglio 1908, in riferimento ad alcune fotografie richieste da Galli, Tamburini dice che da quattro mesi passa le sue giornate fra il letto e la poltrona, che «non ha un soldo» e chiede un anticipo di venti lire per acquistare «carta e ingredienti». Bim, *Archivio Biblioteca comunale di Imola* (d'ora in poi *ABCI*), *Corrispondenza*, 1908, b. 7. Tamburini continuò a fotografare oggetti d'arte e cimeli per la Biblioteca e per il Museo fino al 1914.

[41] Sulla collaborazione tra Cesare Bovesi (1862-1938) e Ugo Tamburini cfr. L. Orsini, ms., *op. cit.*, p. 3: «Più e più volte io ebbi il piacere di visitare il suo studio, in Imola, e anche di intrattenermi lunghe ore in quel suo gabinetto d'arte ... egregiamente coadiuvato da un concittadino, il sig. Cesare Bovesi.» Cesare Bovesi dal 1921 al 1938 esercita in proprio in via Emilia 56A (oggi 88, l'attuale Casa Piani) come fotografo e e rivenditore di apparecchi ottici. La sua attività è continuata dal figlio Angiolino (1914-2008). Cfr. Archivio storico della Camera di commercio di Bologna, *Archivio delle ditte*, fasc. 10834; "Il Nuovo Diario messaggero", 28 febbraio 2009.

[42] I Galassi di Imola svolgono per più di una generazione la professione di fotografo. Francesco Galassi (1826-1896), stimato pittore, converte progressivamente la sua attività in quella di fotografo. Lo studio Galassi acquista notorietà e si specializza nella realizzazione di ritratti. Al padre Francesco si affianca il figlio Tullo (1863-1926) e l'attività si trasforma in "Studio fotografico Francesco Galassi e figlio". Alla morte di Francesco prosegue l'attività il figlio Tullo, che continua per qualche tempo a utilizzare la denominazione Francesco Galassi e figlio. Successivamente prevale la denominazione Fotografia Galassi. A Tullo si affianca a sua volta il figlio Francesco (1909-1975). Cfr. Archivio storico della Camera di commercio di Bologna, *Archivio delle ditte*, fasc. 7642. Sul passaggio delle lastre Tamburini a Tullo Galassi cfr. Gian Franco Fontana, *Il sindaco fotografo*, in "Università aperta terza pagina", 2, 1992, n. 4, p. 7, dove viene citata una lettera di informazioni datata 15 settembre 1970 ricevuta da Francesco Galassi jr.

[43] Gli album donati alla Biblioteca dalla famiglia di Ugo Tamburini, oggi conservati nei fondi iconografici, sono: *Ricordi di Ugo e Gina Tamburini* (19.2.2.6), *Imola nostra! Raccolta fotografica di*

Nel corso della sua vita e in particolare negli ultimi anni, Ugo Tamburini raccolse infatti in alcuni album immagini rappresentanti «fatti, cose e uomini» di Imola del suo tempo e numerosi ritratti di concittadini, annotando nomi, circostanze e luoghi. Le fotografie, realizzate da lui stesso e da altri fotografi tra i quali Francesco Galassi, coprono un arco cronologico che va dai primi anni sessanta dell'Ottocento fino alla sua morte, avvenuta il 9 ottobre 1914, pochi mesi dopo l'inizio della prima guerra mondiale.

Tali album furono poi donati alla biblioteca cittadina per volontà della famiglia, come gesto naturale e conclusivo di uno spirito civico e generoso maturato nel corso di una intera vita.

Con lo sguardo dato dalla conoscenza e dall'affezione per i luoghi e le persone, il fotografo diveniva così testimone della vita della città e del passaggio delle stagioni, mentre la riproduzione seriale in cartolina decretava la fortuna delle vedute di Imola e dei dintorni, fino ad assumere valore di *cliché* nell'iconografia locale tra Otto e Novecento, mantenendo tuttavia integro, al di là delle abitudini del vedere, il grande valore documentale delle immagini realizzate.

cittadini imolesi (19.1.1.3), *Raccolta fotografica di cittadini imolesi* (19.1.1.5), *Imola scomparsa e che scompare: e fatti e cose, e uomini pure scomparsi* (19.1.1.8), *Imola S.Agostino* (19.1.1.7), *Club degli Audaci, l'Affaire Dreyfus a Rennes* (19.1.1.21), *In morte di Luigi Sassi* (19.1.1.27). Cfr. Bim, *ASCI, Archivio comunale bruciato dal 1901 al 1935*, b. 374, lettera datata 16 marzo 1925 di Romeo Galli al Sindaco del Comune di Imola, in cui lo informa di avere ricevuto da Gina Tamburini, figlia di Ugo, un album di fotografie realizzato dal padre intitolato "Imola che scompare"; cfr. anche Bim, *ABCI, Corrispondenza*, 1928, b. 12, nota di Antonietta Folli vedova Tamburini a Romeo Galli, che accompagna l'invio alla Biblioteca di alcuni album, datata 23 gennaio 1928.

Ugo Tamburini e la fotografia.
Tecnologie fotografiche tra Otto e Novecento

Riccardo Vlahov

Alla nascita di Ugo Tamburini, nel 1850, erano trascorsi appena undici anni dalla data dell'annuncio ufficiale del primo procedimento fotografico ideato da Louis-Jacques-Mandé Daguerre; nel medesimo periodo, nuove importanti invenzioni venivano proposte da altri geniali sperimentatori, come gli inglesi William Henry Fox-Talbot e John Frederick William Herschel ed il francese Hippolyte Bayard.

Il grande successo del dagherrotipo varcò subito i confini di Francia e si diffuse rapidamente in tutto il mondo occidentale, grazie alla novità e alla spettacolarità dell'invenzione, alle eccellenti caratteristiche dell'immagine, alla volontà del governo francese che ne acquisì il brevetto di rendere gratuitamente disponibile l'utilizzo del procedimento al mondo intero, ed anche alla precisione del trattato pubblicato dallo stesso Daguerre, tradotto in varie lingue, che ne illustrava accuratamente i dettagli tecnici e operativi[1].

Ne favorì la diffusione, anche in Italia, l'attività di alcuni "dagherrotipisti itineranti" francesi, messa in particolare risalto nelle cronache della stampa locale. Un esempio interessante riguarda proprio l'Emilia e la Romagna, nella quale operò una giovane donna, Josephine Dubray. Giunta nel 1844 a Genova dalla Francia, si trasferì esercitando la sua attività fotografica inizialmente a Parma, quindi a Bologna[2]; raggiunse in seguito, tra il 1844 e il 1846, alcune città della

---

[1] La Biblioteca Comunale di Imola conserva dal 1843 un raro dagherrotipo, realizzato in "lastra intera" dal laboratorio parigino di Alphonse Giroux, collaboratore di Daguerre, che rappresenta una scenografia composta di gessi e statue unitamente a un ritratto litografico di Daguerre. Fu donato dalla cantante lirica imolese Anna Fanti insieme al manuale che illustra l'intero procedimento dagherrotipico.

[2] Roberto Spocci, *Agli albori della fotografia (1839-1860). Note per un repertorio dei fotografi parmensi*, in "Aurea Parma", 73 (1989), fasc. 1; *Fotografia & Fotografi a Bologna. 1839-1900*, a cura di Giuseppina Benassati, Angela Tromellini, Bologna, Grafis, 1992.

Romagna, tra le quali Forlì, poi Cesena, dove sposò il pittore Antonio Pio[3]. È assai probabile che la sua attività, al tempo stesso professionale e didattica, sia servita oltre a far conoscere ed ammirare queste nuove immagini, anche alla formazione tecnica dei primi fotografi operanti in questo territorio.

Il successo del dagherrotipo iniziò ben presto a perdere quota in seguito alla concorrenza del *calotipo*, ideato dall'inglese Fox-Talbot, primo negativo fotografico, che costituiva la matrice per la stampa di numerose copie positive su carta. Il dagherrotipo, seppur di gran lunga migliore dal punto di vista della definizione e della resa tonale dell'immagine, era invece un "positivo diretto", un "unicum" dal quale non era possibile stampare copie multiple.

I difetti caratteristici del calotipo, dovuti soprattutto alla scarsa trasparenza della carta con la quale erano realizzati questi primi negativi, furono poi parzialmente corretti tentando di renderla più trasparente con l'applicazione di sostanze oleose o di cera; ma il vero salto di qualità, che coincide proprio con la metà dell'Ottocento, fu la produzione di negativi dotati di un supporto perfettamente trasparente, una lastra di vetro, sulla quale i composti chimici fotosensibili venivano trattenuti mediante sostanze "leganti" costituite prima dall'albumina, poi dal collodio, applicate in superficie. Al tempo stesso veniva messa a punto una nuova carta sensibile, che utilizzava anch'essa l'albumina come legante ed aveva qualità e durevolezza più elevata rispetto alla "carta salata" utilizzata in precedenza per stampare copie positive dal calotipo.

L'impiego delle lastre all'albumina consentiva la realizzazione di negativi dotati di un'eccellente definizione, ma richiedeva tempi di posa eccessivamente lunghi, inaccettabili nel ritratto; fu quindi preferita ben presto la lastra al collodio, maggiormente sensibile, ma che imponeva la sua preparazione immediatamente prima della ripresa e il suo sviluppo immediatamente dopo. La stesa del collodio sulla lastra veniva eseguita pazientemente a mano, il che richiedeva una notevole perizia e la disponibilità di un ambiente oscuro accanto al luogo in cui veniva effettuata la ripresa. Per tale ragione questa tecnica fu impiegata preferibilmente negli studi fotografici con annesso laboratorio per la sensibilizzazione e lo sviluppo delle lastre, mentre per le riprese in esterni veniva a volte preferito il negativo su carta cerata, un perfezionamento del calotipo, ideato dal francese Le Gray[4] nel 1851; dotato di un grado di trasparenza accettabile, legge-

[3] Guia Lelli Mami, *Gli studi fotografici a Cesena e a Forlì dal 1850 al 1950*, in *Le vite dei cesenati*, a cura di Pier Giovanni Fabbri, 4° vol., Cesena, Serigraf, 2010, pp. 250-263.

[4] Jean-Claude Lemagny, Andre Rouillé, *Storia della fotografia*, Firenze, Sansoni, 1988, pag. 259. Edizione originale: Jean-Claude Lemagny, Andre Rouillé, *Histoire del la photographie*, Paris, Bordas, 1986. Bertrand Lavédrine, *(re)Connaître et conserver les photographies anciennes*, Paris, CHTS- Comité des travaux historiques et scientifiques, 2008, p. 234.

Studio di posa, incisione tratta da Louis Figuier, *Les Merveilles de la science ou description populaire des inventions modernes. 3. Photographie,* Parigi, Furne, Jouvet, 1869, p. 97

ro e non fragile, quindi facilmente trasportabile, poteva essere preparato qualche tempo prima della ripresa e sviluppato qualche tempo dopo.

Dal felice connubio tra negativo al collodio e positivo all'albumina, prende il nome il lungo periodo della storia della fotografia definito *Epoca del Collodio,* durato dagli anni cinquanta agli anni ottanta dell'Ottocento, durante il quale vennero utilizzate tecniche di stampa alternative a quelle ai sali d'argento fotosensibili, come la cianotipia e la platinotipia.

In questo periodo si assiste ad un notevole incremento delle attività relative alla fotografia: aprono parecchi nuovi studi professionali, la produzione dei materiali sensibili per la stampa passa rapidamente dalla fase artigianale a quella industriale, specie nella produzione delle sempre più richieste carte all'albumina, e la fotografia comincia ad essere praticata con entusiasmo dai primi dilettanti fotografi, che a volte sono pure ottimi sperimentatori e innovatori dei procedimenti in uso, al pari dei professionisti. In Italia, per fare solo un esempio, il fratello di Quintino Sella, noto statista e fondatore del Club Alpino Italiano, l'industriale biellese Venanzio Giuseppe Sella, alpinista e appassionato di fotografia, pubblicò nel 1856 un importante trattato di oltre quattrocento pagine, il *Plico del fotografo*[5], che venne ristampato con integrazioni nel 1863.

Ugo Tamburini inizia la sua attività fotografica verso la fine di questo periodo, quando la tecnica al collodio viene rapidamente sostituita con quella alla gelatina, assai più pratica e conveniente. L'associazione tra il legante alla gelatina e i sali d'argento in essa contenuti produce un aumento della sensibilità di questa "emulsione", consentendo tempi di esposizione assai più rapidi, indispensabili a fissare il movi-

[5] Italo Zannier, *Storia della fotografia italiana*, Roma-Bari, Laterza, 1986, pp. 45-46.

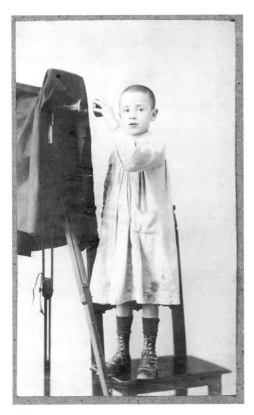

Ugo Tamburini, *"Gino Tamburini"*, 1900 ca, albumina, 113x68 mm, in *Album famiglia Tamburini*.
Fototeca della Biblioteca Panizzi - Reggio Emilia, n. inv. 82649 (deposito Mariella De Martinis)

mento e a realizzare riprese "istantanee". Le lastre alla gelatina vennero prodotte industrialmente, liberando il fotografo dai preliminari della preparazione e della sensibilizzazione; la loro maggiore sensibilità rimaneva a lungo inalterata ed era perciò possibile svilupparle anche parecchio tempo dopo l'esposizione.

Costituirono quindi un materiale sensibile eccellente sia per le riprese in esterni che per quelle in interni.

Con la produzione industriale delle lastre alla gelatina, la tecnologia fotografica comincia a sfuggire al fotografo, non più padrone dell'intero processo per la produzione delle immagini che fino ad allora gli apparteneva.

I nuovi materiali sensibili richiedevano infatti macchinari piuttosto ingombranti e complessi, incompatibili con l'attività e gli spazi propri degli studi fotografici. L'industria inizia quindi ad appropriarsi della fotografia dedicandosi all'innovazione e al miglioramento dei prodotti finalizzati alla ripresa, estendendo ben presto la produzione a nuovi materiali sensibili per la tiratura dei positivi. Nonostante ciò, rimane ancora in uso, tra la seconda metà dell'Ottocento e gli inizi del Novecento, la tecnica di stampa all'albumina. Ancora vantaggiosa per diversi aspetti e ormai divenuta quasi uno "standard" per i clienti dei fotografi, essa deve ben presto coesistere con l'*aristotipo*, una nuova carta sensibile ad annerimento diretto, di produzione industriale e di maggiore praticità, molto apprezzata anche dai dilettanti fotografi e che venne utilizzata per un periodo assai lungo, fino agli anni quaranta del Novecento.

Se l'*Epoca del Collodio* costituì la prima "rivoluzione" in ambito fotografico, l'*Epoca della Gelatina* ne costituisce la seconda, più radicale e determinante soprattutto dal punto di vista operativo, economico e sociale. L'aumento della praticità d'impiego e della disponibilità dei materiali sensibili favorisce un'ulteriore diffusione delle attività connesse alla fotografia; l'industria ottica apporta continue migliorie alla progettazione degli obiettivi, quella chimica ad un progressivo perfezionamento delle caratteristiche qualitative dei prodotti destinati alla ripresa, allo sviluppo e alla stampa dei positivi. Nascono nuove aziende o si specializzano quelle già esistenti, come le milanesi Koristka per le ottiche fotografiche e la Cappelli per le lastre. Questa nuova produzione è accolta con grande interesse non solo dai professionisti, ma anche dai sempre più numerosi dilettanti.

Quando Tamburini iniziò ad interessarsi alla fotografia, trovò a sua disposizione una tecnologia già evoluta e al tempo stesso semplificata, in grado di affrontare e risolvere agevolmente svariati problemi tecnici. La rapida evoluzione tecnologica riguardante i materiali sensibili da utilizzare per la ripresa e la stampa richiese, parallelamente, l'aggiornamento o addirittura la riprogettazione degli apparecchi fotografici. Quelli delle origini erano di produzione artigianale, costituiti da una semplice "camera oscura" realizzata in legno con un'apertura sul lato anteriore alla quale fissare l'obiettivo ed un vetro smerigliato sul lato posteriore, sul quale veniva proiettata l'immagine. Dotati di obiettivi piuttosto semplici, di una serie di lamelle forate intercambiabili per la regolazione del diaframma e privi di un otturatore, vengono progressivamente sostituiti da vere e proprie "macchine", ora di produzione industriale, che consentono di dosare la luce con precisione, mediante specifici meccanismi per la regolazione continua dell'apertura del diaframma e per l'azionamento temporizzato dell'otturatore; spesso tali dispositivi entravano a far parte della struttura stessa dell'obiettivo. Anche in Italia una nuova industria si dedica alla produzione di apparecchi fotografici, come la Oscar Pettazzi e la Lamperti & Garbagnati a Milano o la Bardelli a Torino[6]. Le fotocamere professionali, soprattutto quelle predisposte per le riprese in esterni, erano dotate di struttura modulare per consentire la sostituzione rapida di obiettivi e dorsi porta-lastre per poter essere adatte ad affrontare ogni situazione. Il collegamento tra dorso e ottica era un soffietto di pelle, allungabile per le esigenze di messa a fuoco e flessibile per consentire i decentramenti e i basculaggi indispensabili in specifici casi.

La tecnica di ripresa con le fotocamere a grande formato in uso ai tempi di Tamburini richiedeva tempo, perizia e precisione, oltre all'utilizzo obbligatorio di un treppiede. L'inquadratura e la messa a fuoco venivano regolate su di un vetro smerigliato collocato sul dorso della fotocamera, sul quale si formava, capovolta, la tenue immagine proiettata dall'obiettivo. Il fotografo era obbligato ad osservarla coprendo quasi tutto l'apparecchio con uno spesso panno nero, che aveva il duplice scopo di isolare gli occhi dell'operatore dalla forte lumino-

---

[6] Marco Antonetto, *L'evoluzione industriale*, in *Apparecchi fotografici italiani, 1839-1911*, Milano, Electa, 1980, pp. 12-13. Catalogo dell'omonima mostra, Firenze, Palazzo Pitti, gennaio-marzo 1980.

sità dell'ambiente, di abituarli a quella assai più debole dell'immagine visibile sul vetro smerigliato e di garantire, al momento della ripresa, la tenuta di luce dell'intero apparecchio (soffietto, piastra porta-obiettivo e *chassis* porta-lastre). Prima di eseguire la fotografia, il vetro smerigliato veniva sostituito con la lastra fotosensibile protetta dalla luce all'interno di uno *chassis*. Poi veniva richiuso l'otturatore, regolati il tempo di posa e l'apertura del diaframma a seconda della situazione e delle condizioni di illuminazione, quindi si scopriva la lastra sul lato interno dello chassis rimuovendo l'antina di protezione ed infine si azionava l'otturatore.

Nel caso di riprese di interni, era obbligatorio eseguire esposizioni di lunga durata in luce ambiente, togliendo il coperchio dell'obiettivo e ricollocandolo dopo diversi secondi o minuti di esposizione; la difficoltà di disporre ed utilizzare sorgenti di luce artificiale rendeva più lenta la ripresa, ma conferiva all'immagine una maggiore somiglianza alla realtà, dovuta alla condizione di illuminazione normalmente percepita.

Le fotocamere impiegate all'interno degli studi fotografici, destinate soprattutto alla ritrattistica, erano più pesanti, un po' più semplici di quelle utilizzate in esterno e dotate di un robusto sostegno fisso. Per tutto l'Ottocento l'illuminazione necessaria alla ripresa in interni era quella diurna, proveniente da un'ampia vetrata orientata a nord, che forniva condizioni di luce particolarmente adatte ai materiali sensibili dell'epoca. L'utilizzo e lo spostamento di sistemi di tende consentivano all'operatore di regolare l'intensità e la direzione della luce.

Le fasi successive alla ripresa erano quella dello sviluppo del negativo, da eseguire in laboratorio e quella della stampa delle copie positive, che veniva inizialmente eseguita in luce diurna con le carte ad annerimento diretto, poi in laboratorio, con le carte a sviluppo, disponibili già dagli anni ottanta dell'Ottocento e fabbricate ancor oggi. Le più diffuse carte sensibili ottocentesche, dalla *carta salata*, alla *carta all'albumina*, agli *aristotipi*, venivano esposte alla luce diretta del giorno, a contatto con un negativo, all'interno di un apposito "torchietto". L'immagine si formava direttamente e progressivamente; ottenuto il giusto grado di intensità, la copia passava poi nelle soluzioni di viraggio e di fissaggio per dare una tonalità gradevole alla fotografia e preservarla nel tempo, poi veniva accuratamente lavata ed infine lasciata asciugare. Solo dopo avere tolto dal torchietto una carta impressionata dalla luce si poteva iniziare ad esporne un'altra a contatto col medesimo negativo, rendendo assai lenta la tiratura di copie multiple. Questa tecnologia obbligava a produrre negativi delle dimensioni desiderate per la stampa, che avveniva obbligatoriamente per contatto. Esistevano già speciali apparecchi da ingrandimento per le carte ad annerimento diretto sopra citate, gli "ingranditori solari", ma erano raramente utilizzati a causa della insufficiente definizione dei negativi, adeguata solo alle limitate dimensioni delle copie da stampare a contatto.

Nel 1880 iniziò la produzione e la commercializzazione di un nuovo tipo di carta alla gelatina, assai più sensibile delle precedenti e di esclusiva produzione industriale, che doveva essere impressionata e sviluppata in camera oscura e che consentiva di ottenere in breve tempo notevoli quantità di copie, sia per contatto col negativo che per ingrandimento. Nel 1889 vennero prodotti i primi negativi su pellicola[7], assai più leggeri delle lastre e soprattutto non fragili.

Queste importanti innovazioni tecnologiche rendono assai più agevole e conveniente la professione del fotografo e contribuiscono a una sempre maggiore diffusione della fotografia; in questa favorevole situazione si inseriscono facilmente, accanto ai fotografi di professione, anche i "Dilettanti fotografi", così definiti tra la fine dell'Ottocento e gli inizi del Novecento dalle pubblicazioni dell'epoca.

Di grande importanza ed efficacia fu la produzione editoriale specializzata nella fotografia tra gli ultimi decenni dell'Ottocento e i primi del Novecento, supporto tecnico pressoché indispensabile per gli operatori dell'epoca. L'editore Hoepli si impegnò più

Fronte e retro di un torchietto per la stampa a contatto

[7] Bertrand Lavédrine, *op. cit.*, p. 264.

degli altri in questo settore producendo, per un lungo periodo, una serie di manuali di notevole attendibilità scientifica nonostante il tono divulgativo, opera di vari autori, come Luigi Gioppi, Giovanni Muffone, Luigi Sassi ed altri. Pubblicò con Hoepli anche Rodolfo Namias, noto studioso di chimica fotografica apprezzato in Italia e all'estero, che fondò nel 1894 "Il Progresso Fotografico", una delle più autorevoli e longeve riviste italiane di fotografia, ricca di preziose notizie su ciò che l'innovazione tecnologica proponeva, in questo settore, nel corso del tempo.

Queste importanti iniziative editoriali fornirono ai fotografi preziose informazioni teoriche e suggerimenti pratici di grande utilità, continuamente aggiornati, sulle tecniche di ripresa, sui trattamenti di sviluppo e stampa dei materiali sensibili e sull'estetica dell'immagine.

In assenza di specifiche scuole di fotografia, la formazione iniziava con l'apprendistato nello studio di un professionista oppure con l'auto-apprendimento mediante manuali e riviste specializzate e con la consulenza di qualche esperto disponibile, soprattutto nel caso dei dilettanti.

Se per alcuni di essi questo avvincente passatempo si limita alla produzione di buoni ritratti o di qualche foto-ricordo, per altri diviene un importante strumento di registrazione, descrizione e comunicazione visiva, di situazioni, avvenimenti, luoghi, spesso ripresi sulla traccia di specifiche impostazioni progettuali. Il dilettante fotografo è generalmente persona colta, dotata di considerevoli disponibilità economiche e di abbondante tempo libero da impiegare in attività interessanti, utili, coinvolgenti.

Tamburini, che si avvicina alla fotografia da dilettante per passare in seguito a una pratica professionale, provvede subito a collegare i suoi interessi con la fotografia: la sua città che progressivamente si trasforma, l'importante attività del manicomio, le raccolte del Museo nazionale di Ravenna, le emergenze storico-achitettoniche del territorio imolese, i manoscritti e gli incunaboli della Biblioteca comunale, la costruzione di una nuova scuola per la formazione professionale, il paesaggio, la paleontologia e la geologia, diventano immagini prodotte con una metodologia ben precisa, secondo specifici progetti, che si trasformano a volte in prestigiose iniziative editoriali.

Le fotografie realizzate da Tamburini diventano così un importante strumento di conoscenza, favorito dalla stretta collaborazione con studiosi ed esperti che contribuiscono ad accrescere i contenuti informativi e l'efficacia delle immagini, sempre arricchite dalla qualità estetica propria del gusto e della perizia del fotografo.

Di particolare importanza è l'attività documentaria relativa al paesaggio e all'architettura storica del territorio imolese, sulla traccia della prima esperienza francese della *Mission héliographique* (1851-1852), ma più propriamente sul modello di quella realizzata, in collaborazione con Corrado Ricci, dal bologne-

Tommaso Della Volpe (attr.), *"Ugo Tamburini in funzione di... fotografo"*, prima del 1914, 125x171 mm, gelatina a sviluppo, in *Ricordi di Ugo e Gina Tamburini*. Bim, *Fondi iconografici*, 19.2.2.6.143

se Alessandro Cassarini, come lui dilettante fotografo e suo "maestro di fotografia"; oppure della campagna fotografica riguardante l'architettura e le opere d'arte del Piemonte, svolta quasi nello stesso periodo dall'astigiano Secondo Pia, anch'egli ex-sindaco e dilettante eccellente.

Le immagini di Tamburini presentano però una caratteristica particolare: ci mostrano a volte antichi ruderi circondati da gruppi di numerosi e gioiosi escursionisti fotografati in posa, ma con naturalezza, felici per la scoperta e la "conquista", quasi per gioco, di reperti storici da conoscere e conservare. Come accade sempre nella fotografia d'autore, il fotografo lascia inconsapevolmente traccia di sé nelle immagini che produce. Tamburini ci comunica, assieme al suo interesse per il paesaggio, i monumenti e le opere d'arte, anche quello per le persone, che troviamo numerose e spesso spontanee, libere da un ruolo meramente scenografico, ad animare e ad integrare con la loro presenza "viva" ambienti di vario genere.

Sono presentate più come persone che come casi clinici anche i degenti del manicomio ritratti dalla sua macchina fotografica, che ci appaiono, salvo una piccola percentuale rappresentata dai malati più gravi, quasi come persone normali, a volte sorridenti, a volte incuriosite, ma non timorose.

Tamburini conserva così, anche nel periodo di attività fotografica professionale, le migliori caratteristiche del "dilettante fotografo" intelligente, colto, ricco di idee e di interessi, pronto a narrare con la macchina fotografica il mondo in cui vive. Immagini come queste costituiscono oggi vere e proprie miniere di informazioni sul passato e al tempo stesso sulla personalità e sugli intenti progettuali dei loro autori e contribuiscono a formare, una tessera accanto all'altra, il grande mosaico della storia della fotografia.

Ugo Tamburini (attr.), *Paesaggio fluviale*, prima del 1914, gelatina a sviluppo, 395x540 mm, Bim, Antiqua/FI.B.19

La mostra

*ricerche iconografiche e testi di Cristina Castellari,
Alessio Mazzini, Silvia Mirri, Chiara Sabattani*

Le immagini selezionate provengono in prevalenza da alcuni album donati alla Biblioteca comunale di Imola dalla famiglia di Ugo Tamburini, in particolare dagli album *Ricordi di Ugo e Gina Tamburini* (Bim, *Fondi iconografici*, 19.2.2.6), *Imola scomparsa e che scompare, e fatti e cose, e uomini pure scomparsi* (Bim, *Fondi iconografici*, 19.1.1.8), *Imola nostra! Raccolta fotografica di cittadini imolesi* (Bim, *Fondi iconografici*, 19.1.1.1.3) e dall'*Album della famiglia Tamburini* di proprietà di Mariella De Martinis, depositato presso la Fototeca della Biblioteca Panizzi di Reggio Emilia.

Fotografie di Ugo Tamburini sono state indentificate inoltre in altri fondi e archivi conservati presso la Biblioteca comunale di Imola, presso il Fondo Gian Franco Fontana della Fondazione Cassa di Risparmio di Imola e in alcuni archivi e collezioni pubbliche o private, come indicato nelle didascalie.

Nelle didascalie in calce alle fotografie è riportato, oltre all'autore se identificato, il titolo presente sulla fotografia o sul supporto secondario, ponendolo in questo caso fra virgolette, o, se non presente, un titolo attribuito. Alle misure delle fotografie seguono, tra parentesi, le misure del supporto secondario.

Le descrizioni delle fotografie conservate presso la Biblioteca comunale di Imola e presso la Fototeca della Biblioteca Panizzi di Reggio Emilia sono consultabili *on line* nei rispettivi cataloghi.

Sfogliando gli album di famiglia

A fine Ottocento in ogni famiglia benestante come quella dei Tamburini vi era qualcuno che raccoglieva le fotografie in album e il lavoro intrapreso veniva continuato dai figli. Come in un altare domestico, negli album si celebrava la storia della famiglia, si tessevano e si disponevano i legami di parentela, si fissavano i ricordi, mentre la grandezza delle fotografie, la loro preziosità o lo spazio occupato sottolineavano la gerarchia dei rapporti familiari o l'intensità degli affetti.

Due sono gli album che documentano la vita di Ugo Tamburini e dei suoi discendenti, conservati rispettivamente presso la Biblioteca Panizzi di Reggio Emilia e la Biblioteca comunale di Imola.

Quattrocentosessantanove fotografie sono raccolte nell'*Album famiglia Tamburini* di proprietà degli eredi, attualmente depositato presso la Biblioteca Panizzi: esse coprono un arco cronologico di oltre un secolo, che va dalla metà dell'Ottocento, con le fotografie degli antenati, fino alla metà del Novecento, con le fotografie del figlio più piccolo di Ugo, Gino.

In principio dell'album campeggiano le imponenti figure del nonno Giovanni e del padre Ercole, entrambi avvocati, compaiono poi ritratti di Ugo nelle diverse età della vita, da studente al collegio di Parma e Torino a giovane uomo, che posa in studio sfoggiando un ultimo modello di bicicletta o in abbigliamento elegante. I primi ritratti sono stati eseguiti da studi fotografici come Sorgato di Bologna, Antonietti di Parma, Adolphe Legros di Parigi o Guelfi di Rimini, ma sono presenti anche fotografie di dilettanti, amici o allievi di Ugo, oppure di famigliari, come il genero Marco Guadagnini. Quando Ugo comincia a fotografare i principali protagonisti dei ritratti sono la moglie Antonietta e i figli Ercole, Gina e Gino. Le occasioni scelte sono i sereni ritrovi familiari, le gite o i viaggi lontani, le feste della tradizione romagnola come la Segavecchia, i soggiorni marini in località turistiche italiane. Uno dei luoghi più fotografati è la villa Laguna, residenza in campagna della famiglia Tamburini, circondata da campi coltivati, dove si svolgevano riunioni familiari, feste, persino lezioni di scherma. Presso la villa sono anche ospitate truppe di soldati in occasione delle esercitazioni militari del 1888 note come *Le grandi manovre*, immortalate in vari scatti durante esercitazioni e momenti di riposo.

Appartiene a questo album la prima fotografia scattata da Ugo Tamburini nel 1886 alla famiglia, e viene inoltre documentato l'incontro a Pennabilli col fotografo Alessandro Cassarini di Bologna, definito da Ugo "il mio primo maestro di fotografia".

Più eclettico per i materiali contenuti l'album *Ricordi di Ugo e Gina Tamburini*, donato dagli eredi alla Biblioteca comunale di Imola, che raccoglie duecentodiciassette fotografie dagli anni settanta dell'Ottocento agli anni trenta del Novecento, oltre a numerose cartoline, che riflettono gli interessi soprattutto di Gina, appassionata collezionista.

L'album è particolarmente ricco di ricordi fotografici di viaggio raccolti o realizzati da Ugo ad Amburgo, Bruxelles, Firenze, Venezia. A questa raccolta collabora anche il figlio Ercole, che partecipa alla guerra greco-turca scendendo in campo nella battaglia di Domokos del 1897 (diversi sono i ricordi dalle terre elleniche). In questa occasione la famiglia Tamburini ospita a Imola Amilcare Cipriani (1843-1918), patriota e anarchico italiano, che successivamente invia ai Tamburini cartoline e lettere, conservate anch'esse nell'album.

Nel 1904 Ercole emigra in Argentina, dove esercita per un periodo la professione di fotografo. Da quelle terre lontane scrive alla famiglia, inviando fotografie da Ramallo, vicino a Buenos Aires, dove aveva avviato un'attività commerciale.

Nelle ultime pagine dell'album compaiono ritratti di indigeni eseguiti nelle colonie nordafricane, probabilmente inviate a Tamburini da amici, forse da Andrea Costa che, recatosi tra il 1907 e il 1908 in Algeria e Tunisia, invia a Ugo e alla figlia numerose cartoline, oggi conservate fra le Carte Andrea Costa, presso la Biblioteca comunale di Imola.

Dagli album privati si può attingere per ricordare la vita e le vicende di Ugo Tamburini e della sua famiglia, ma al tempo stesso si può ricostruire un tessuto sociale che va mutando tra Otto e Novecento, periodo in cui l'agiata borghesia si trova a tralasciare i piacevoli ritrovi di campagna per abbracciare professioni e mestieri (fotografo, insegnante, commerciante) oppure per emigrare in terre lontane, conservando nelle pagine degli album fotografici la memoria e i fasti delle proprie origini.

"*Ugo Tamburini: 1867, col mio piccolo cane Ralph*", 1867, albumina, 105x62 mm, in *Album famiglia Tamburini.* Fototeca della Biblioteca Panizzi - Reggio Emilia, n. inv. 82365 (deposito Mariella De Martinis)

"*Ugo Tamburini: 1872*", 1872, albumina, 100x56 mm, in *Album famiglia Tamburini.* Fototeca della Biblioteca Panizzi - Reggio Emilia, n. inv. 82372 (deposito Mariella De Martinis)

Ugo Tamburini con la moglie Antonietta Folli e i figli Ercole e Gina, 1889, albumina, 94x97 mm, in *Album famiglia Tamburini.*
Fototeca della Biblioteca Panizzi - Reggio Emilia, n. inv. 82753 (deposito Mariella De Martinis)

Ercole e Gina Tamburini, 1885, albumina, 111x152 mm, in *Album famiglia Tamburini.* Fototeca della Biblioteca Panizzi - Reggio Emilia, n. inv. 82688 (deposito Mariella De Martinis)

Ugo Tamburini, *"Con Ercolino 1886"*, 1886, albumina, 150x100 mm, in *Album famiglia Tamburini.*
Fototeca della Biblioteca Panizzi - Reggio Emilia, n. inv. 82513 (deposito Mariella De Martinis)

Ercole e Gina Tamburini.

Ugo Tamburini, *Gina Tamburini*, 1891, albumina, 121x83 mm, in *Album famiglia Tamburini.*
Fototeca della Biblioteca Panizzi - Reggio Emilia, n. inv. 82516 (deposito Mariella De Martinis)

Ugo Tamburini, "*A villa Laguna*", 1890 ca, albumina, 162x105 mm, in *Album famiglia Tamburini*. Fototeca della Biblioteca Panizzi - Reggio Emilia, n. inv. 82745 (deposito Mariella De Martinis)

Nel giardino la moglie Antonietta Folli sull'altalena.

Ugo Tamburini, *"Villa Laguna"*, 1889 ca, albumina, 116x178 mm, in *Album famiglia Tamburini*. Fototeca della Biblioteca Panizzi - Reggio Emilia, n. inv. 82751 (deposito Mariella De Martinis)

Ugo Tamburini, *"Alla Laguna con Baldi e sig.na Brugnoli coll'ing. Orsini"*, 1889 ca, albumina, 80 x109 mm, in *Album famiglia Tamburini*. Fototeca della Biblioteca Panizzi - Reggio Emilia, n. inv. 82416 (deposito Mariella De Martinis)

"Sulla strada di Monte Battaglia", 1900 ca, albumina, 114x163 mm, in *Album famiglia Tamburini.* Fototeca della Biblioteca Panizzi - Reggio Emilia, n. inv. 82743 (deposito Mariella De Martinis)

"A Monte Battaglia", 1900 ca, albumina, 152x114 mm, in *Album famiglia Tamburini.* Fototeca della Biblioteca Panizzi - Reggio Emilia, n. inv. 82724 (deposito Mariella De Martinis)

Tra i partecipanti all'escursione Ugo Tamburini con la moglie Antonietta Folli.

Ugo Tamburini, *"Trebbiatrice in azione al fondo Laguna"*, 1889, cianotipo, 117x164 mm, in *Album famiglia Tamburini*. Fototeca della Biblioteca Panizzi - Reggio Emilia, n. inv. 82728 (deposito Mariella De Martinis)

Ugo Tamburini, "*Sotto il Ponte degli Alidosi a Castel del Rio*", 1900 ca, albumina, 122x171 mm, in *Album famiglia Tamburini*. Fototeca della Biblioteca Panizzi - Reggio Emilia, n. inv. 82423 (deposito Mariella De Martinis)

Ugo Tamburini, "*A Riccione 1897*", 1897, cianotipo, 168x256 mm, in *Album famiglia Tamburini*. Fototeca della Biblioteca Panizzi - Reggio Emilia, n. inv. 82746 (deposito Mariella De Martinis)

Il secondo in piedi da sinistra è Andrea Costa.

Ugo Tamburini, *Sul mare,* 1897 ca, aristotipo, 95x150 mm, in *Album famiglia Tamburini.* Fototeca della Biblioteca Panizzi - Reggio Emilia, n. inv. 82747 (deposito Mariella De Martinis)

Ugo Tamburini, "*Gruppo della legione romagnola a Domokos, con Cipriani, fatto in occasione di una gita a Mercato Saraceno, 11 ottobre 1897, ospiti del dottor Olivoni di Forlì medico condotto a Mercato*", 1897, aristotipo, 184x215 mm, in *Album famiglia Tamburini*. Fototeca della Biblioteca Panizzi - Reggio Emilia, inv. 82471 (deposito Mariella De Martinis)

Ritratto di alcuni partecipanti alla guerra greco-turca in Grecia. Ercole Tamburini è l'ultimo a destra, in seconda fila.

Ugo Tamburini, *"Fatta a Bascoup nel Belgio, vicino a Bruxelles, 30 giugno 1891. Dopo una visita alle miniere di carbon fossile"*, 1891, albumina, 105x158 mm, in *Album famiglia Tamburini*. Fototeca della Biblioteca Panizzi - Reggio Emilia, n. inv. 82454 (deposito Mariella De Martinis)

Ercole Tamburini, *"Repubblica Argentina - Ramallo - Commercio di Ramallo 100.000 (centomila sacchi di mais fra le due pile) fotog. di Ercole Tamburini"*, dopo il 1904, albumina, 153x219 mm, in *Ricordi di Ugo e Gina Tamburini*. Bim, *Fondi iconografici*, 19.2.2.6.220

Le campagne fotografiche di Imola e dei dintorni

Alla fine dell'Ottocento la fotografia, alla quale è riconosciuto fin da subito un importante valore dalla cultura positivista e verista dell'epoca, si afferma come strumento di conoscenza e divulgazione del patrimonio storico paesaggistico e dei tesori custoditi nei musei, nelle biblioteche, nelle chiese e nei palazzi. Ciò avviene, prima che per intervento diretto delle istituzioni, per iniziativa di studi fotografici molto noti che si affermano a livello nazionale e di numerosi fotografi di ambito locale. In parallelo si sviluppa una ricca produzione di stampe d'arte.

In questo contesto opera Tamburini, che si fa promotore di campagne fotografiche sul territorio, le più importanti delle quali sono realizzate a Imola negli ultimi anni dell'Ottocento, e, fra il 1904 e il 1905, lungo la valle del Santerno, del Senio e in altre località limitrofe, per il volume di Luigi Orsini *Imola e la Valle del Santerno*, pubblicato nel 1907 presso l'Istituto arti grafiche di Bergamo.

Sono centotré le fotografie di Tamburini inserite nella pubblicazione, dove compaiono anche alcuni scatti di Alessandro Cassarini e degli studi Alinari e Fotografia dell'Emilia. Tra queste immagini trentotto sono dedicate a Imola, che ci viene restituita in un momento di grandi cambiamenti urbanistici e architettonici.

Ma come era Imola al tempo di Tamburini? La città è ancora racchiusa dalle mura perimetrali, con la Rocca che vi si innesta. Immaginiamo il fotografo raggiungere a piedi il monte Castellaccio per cogliere da lontano il panorama della città circondata dagli orti, con le torri e i campanili che svettano sugli altri edifici, poi aggirarsi per le strade del centro alla ricerca dell'angolazione più adatta per fissare sulle lastre l'immagine della piazza principale, centro dell'identità cittadina, della rocca imponente, della solenne facciata settecentesca della cattedrale, e ancora di vie, piazze e case signorili.

Oltre all'antico complesso dell'Osservanza, poco fuori le mura, i padiglioni del manicomio e l'Ospedale di Santa Maria della Scaletta sono strutture moderne, modelli di assistenza sanitaria.

Il passeggio dei Cappuccini e il parco delle Acque minerali sono recenti spazi cittadini per il vivere dei borghesi.

All'inizio del Novecento il volto di Imola si trasforma: sono abbattute l'intera cinta delle antiche mura e alcune porte, si colmano il fossato della Rocca e quelli perimetrali, nascono le vie di circonvallazione, si creano nuovi viali alberati, si costruiscono nuovi edifici e le prime industrie. Il tessuto urbano si estende progressivamente e Imola, in pochi decenni, aumenta considerevolmente la sua popolazione.

Come altri fotografi del suo tempo, Tamburini focalizza l'attenzione sulle vedute più caratteristiche dal punto di vista paesaggistico e architettonico, proponendo inquadrature di scorcio in cui, per esaltare la monumentalità dell'oggetto fotografato, vengono introdotte talvolta sullo sfondo persone in posa.

Nei dintorni di Imola Tamburini fotografa molti paesi, con particolare attenzione alle riprese di paesaggi, rocche, castelli, chiese e borghi, risalendo le valli con il *barroccino*, oppure a dorso di mulo, o inerpicandosi a piedi lungo sentieri e pendii con il pesante bagaglio costituito dalle attrezzature fotografiche.

Guardando le sue fotografie si percorre idealmente la via Montanara, si sosta per ammirare da lontano i panorami dei vari paesi che lungo essa si incontrano, Casalfiumanese, Tossignano, Fontanelice, Castel del Rio, per poi attraversarne

Ugo Tamburini, *"Imola. Il Panorama"*, prima del 1905, albumine, assemblaggio di due stampe, 132x248 (139x254) e 131x247 (139x254) mm. Bim, *Fondi iconografici*, 19.1.1.19.8-9

gli abitati, accompagnati da una piccola folla di curiosi.

Allo stesso modo si procede per i luoghi che si snodano lungo il Senio, come nel caso di Riolo con la sua rocca, fino a raggiungere la vena del Gesso, dove si ammirano le pareti del Monte della Volpe, meta di escursioni geologiche effettuate con Giuseppe Scarabelli. Verso la valle del Sillaro sono ritratti da Tamburini anche Montecatone, il borgo di Dozza dominato dalla rocca e Sassoleone.

Il territorio in cui opera il fotografo si amplia ai paesi delle zone di pianura intorno a Imola, come Castel San Pietro, Medicina e Castel Guelfo, fino a raggiungere Lugo e Cotignola. Le sue campagne fotografiche comprendono anche molte ville dei dintorni, come la Palazza, residenza della famiglia del poeta Luigi Orsini, Montericco dei conti Pasolini Dall'Onda, il villino San Fausto della famiglia Gardi, la villa Coccapane verso Castel San Pietro e la dimora estiva di Sasso Morelli, entrambe dei conti Codronchi.

Successivamente alla sua morte, le immagini di Imola e dei dintorni realizzate da Tamburini continuano a essere utilizzate dalle cartolibrerie della città per l'edizione di cartoline e dai fotografi che a Imola proseguono il suo lavoro, tra cui Tullo Galassi.

Due fotografie affiancate compongono il panorama completo. La data di esecuzione è antecedente all'abbattimento delle mura cittadine.

Ugo Tamburini, *"Imola vista dal cimitero di Croce in Campo"*, prima del 1907, albumina, 198x260 (198x260) mm, Imola, collezione Maurizio Flutti

La fotografia è pubblicata in L. Orsini, *op. cit.*, p. 11.

Ugo Tamburini (attr.), *"Imola. Santerno"*, 1900 ca, albumina, 117x170 (135x184) mm. Bim, *Fondi iconografici*, 19.1.1.19.83

Veduta del fiume Santerno verso nord nei pressi del ponte sulla Via Emilia.

Ugo Tamburini (attr.), *"Imola. Ponte sul Santerno"*, 1900 ca, albumina, 203x260 (229x294) mm. Bim, *Fondi iconografici*, 19.1.1.19.22

Ugo Tamburini, *"Imola. Palazzo Comunale. Sec. XVIII"*, prima del 1907, albumina, 195x260 (200x275) mm. Bim, *Fondi iconografici*, 19.1.1.19.12

La fotografia è pubblicata in L. Orsini, *op. cit.*, p. 77.

Ugo Tamburini, *"Imola. S. Cassiano"*, 1898 ca, albumina, 193x257 mm. Bim, *Fondi iconografici,* 19.1.1.26.13

IMOLA-S.MARIA.CAMPANILE 1180 CIRCA.

Ugo Tamburini, *"Imola. S. Maria [in Regola]. Campanile 1180 circa"*, prima del 1895, albumina, 163x118 mm. Bim, *Fondi iconografici*, 19.2.1.4.20

L'immagine compare nel fascicolo dedicato a Imola della serie "Le cento città d'Italia", supplemento del quotidiano "Il secolo", con scritti di Romeo Galli e Giuseppe Cita Mazzini, per il quale Ugo Tamburini fornì alcune fotografie per le illustrazioni.

Ugo Tamburini, *"Imola. L'Osservanza "*, prima del 1907, albumina, 187x258 mm. Bim, *Fondi iconografici*, 19.1.1.19.44

La fotografia è pubblicata in L. Orsini, *op. cit.*, p. 94.

Ugo Tamburini, *Palazzo Sforza*, 1900, aristotipo, 327x238 mm, in "Imola e suoi dintorni. Album fotografico storico dello stabilimento Ugo Tamburini", n. 3, giugno 1900. Bim, 9 3A 4 7 9

Ugo Tamburini, *"Imola. Palazzo Dal Pozzo"*, 1900 ca, aristotipo, 218x280 mm. Bim, *Fondi iconografici*, 19.1.1.19.24

La fotografia è pubblicata in "Imola e suoi dintorni. Album fotografico storico dello stabilimento Ugo Tamburini", n. 3, giugno 1900, e in L. Orsini, *op.cit.*, p. 77.

Ugo Tamburini, *Albergo El Cappello poi palazzo Della Volpe*, prima del 1907, gelatina a sviluppo, 267x208 mm. Bim, *Fondi iconografici*, 19.1.2.1.40

La fotografia è pubblicata in L. Orsini, *op. cit.*, p. 76.

Ugo Tamburini, *Aula magna della Biblioteca comunale*, 1899, aristotipo, 327x233 mm, in "Imola e suoi dintorni. Album fotografico storico dello stabilimento Ugo Tamburini", n. 2, novembre 1899. Bim, 9 3A 4 7 11

Ugo Tamburini, *Rocca sforzesca*, prima del 1899, albumina, 188x258 (298x358) mm. Fondazione Cassa di Risparmio di Imola, Fondo Gian Franco Fontana

La fotografia è pubblicata in "Imola e i suoi dintorni. Album fotografico storico dello stabilimento Ugo Tamburini", n. 1, gennaio 1899.

Ugo Tamburini, *"Imola. Manicomio dell'Osservanza. Veduta generale"*, prima del 1907, aristotipo, 200x264 mm. Bim, *Fondi iconografici*, 19.1.1.19.47

La fotografia è pubblicata in L. Orsini, *op.cit.*, p. 158.

Ugo Tamburini, *"Manicomio provinciale"*, prima del 1907, albumina, 200x260 mm, in *Imola scomparsa e che scompare. Raccolta fatta dal signor Ugo Tamburini*. Bim, *Fondi iconografici*, 19.1.1.8.64

Ugo Tamburini, *Ospedale civile di Santa Maria della Scaletta*, prima del 1907, aristotipo, 178x 248 (299x360) mm. Fondazione Cassa di Risparmio di Imola, Fondo Gian Franco Fontana

La fotografia è pubblicata in L. Orsini, *op. cit.*, p. 160.

Ugo Tamburini, *"Imola. Passeggio dei Cappuccini"*, 1898 ca, aristotipo, 209x279 (234x294) mm.
Bim, *Fondi iconografici*, 19.1.1.19.50

La fotografia è pubblicata in L. Orsini, op. cit., p. 71, dove compare la colonna a destra del viale, in
questa stampa cancellata e sostituita con il disegno della parte dell'alberatura mancante.

Ugo Tamburini (attr.), *"Imola. Port'Appia"*, prima del 1895, gelatina a sviluppo, 230x183 mm. Bim, *Fondi iconografici*, 19.1.2.1.34

L'immagine compare nel fascicolo dedicato a Imola della serie "Le cento città d'Italia", supplemento del quotidiano "Il secolo", con scritti di Romeo Galli e Giuseppe Cita Mazzini, per il quale Ugo Tamburini fornì alcune fotografie per le illustrazioni.

Ugo Tamburini, *"Imola. Via Appia. Albergo Italia"*, 1900 ca, albumina, 219x144 mm.
Bim, *Fondi iconografici*, 19.1.1.19.49

Ugo Tamburini (attr.), *"Imola. Piazza Benvenuto Rambaldi"*, 1900 ca, albumina, 197x260 (227x292) mm. Bim, *Fondi iconografici*, 19.1.1.26.39

La fotografia mostra i giardini dietro l'abside della chiesa di San Domenico verso via Cavour, al tempo noti come l'orto di San Domenico.

Ugo Tamburini, *Scuola Alberghetti, poi Scuole Carducci*, 1904-1911, albumina, 247x190 (272x217) mm. Bim, *Fondi iconografici*, 19.1.1.19.32

Ugo Tamburini, *"Imola. Tiro a Segno (Poligono del Santerno)"*, 1894 ca, aristotipo, 120x169 mm. Bim, *Fondi iconografici*, 19.1.1.19.78

Ugo Tamburini, *"Imola. Acque minerali"*, 1898 ca, albumina, 114x153 (139x189) mm. Bim, *Fondi iconografici*, 19.1.1.9.13

Ugo Tamburini, *"Imola. Acque Minerali (Il Monte Castellaccio)"*, 1898 ca, albumina, 192x260 mm. Bim, *Fondi iconografici*, 19.1.1.19.79

La fotografia è pubblicata in L. Orsini, *op. cit.*, p. 161.

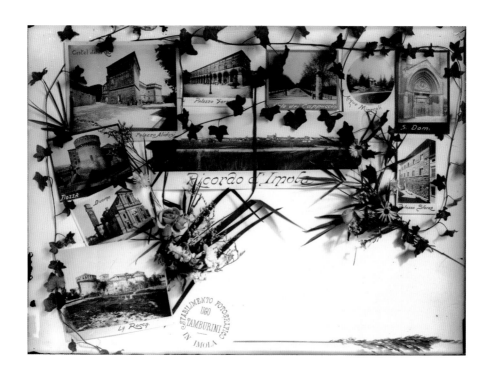

Ugo Tamburini, *"Ricordo d'Imola"*, 1898 ca, negativo su vetro, 129x180 mm. Imola, collezione Giampaolo Dall'Olio

Ugo Tamburini, *"Cartolina postale"*, 1898 ca, negativo su vetro, 129x180 mm. Imola, collezione Giampaolo Dall'Olio

Riprodotte invertendo in positivo i valori cromatici e l'orientamento.

Ugo Tamburini, *"Tossignano. Panorama lato ovest"*, prima del 1907, aristotipo, 154x260 (247x323) mm. Bim, *Fondi iconografici*, 19.1.1.17.33

La fotografia è pubblicata in L. Orsini, *op. cit.*, p. 41.

Ugo Tamburini (attr.), *"Strada del Sasso Tossignano"*, prima del 1907, aristotipo, 167x120 (217x164) mm. Bim, *Fondi iconografici*, 19.1.1.17.31

Ugo Tamburini, *Pieve di Sant'Andrea,* prima del 1907, aristotipo, 205x261 (300x373) mm. Imola, collezione Maurizio Flutti

Ugo Tamburini, *"Castel del Rio"*, prima del 1907, albumina, 180x250 mm. Bim, *Fondi iconografici*, 19.1.1.17.8

Ugo Tamburini, *"Dintorni d'Imola. Castel del Rio. Palazzo degli Alidosi Sec. XVI"*, 1898 ca, albumina, 196x253 (207x271) mm. Bim, *Fondi iconografici*, 19.1.1.17.1

Ugo Tamburini, *"Castel del Rio. Cortile del Palazzo Alidosi"*, prima del 1907, albumina, 192x260 (252x327) mm. Bim, *Fondi iconografici*, 19.1.1.17.4

La fotografia è pubblicata in L. Orsini, *op. cit.*, p. 17.

Castel del Rio. — Cortile del palazzo degli Alidosi.

Ugo Tamburini, *"Castel del Rio. Il Castellaccio"*, prima del 1907, albumina, 192x248 mm. Bim, *Fondi iconografici*, 19.1.1.17.16

Ugo Tamburini, *"Castel del Rio. Il Castellaccio"*, prima del 1907, albumina, 190x257 mm. Bim, *Fondi iconografici*, 19.1.1.17.17

La fotografia è pubblicata in L. Orsini, *op. cit.*, p. 27.

Ugo Tamburini, *"Castel del Rio. Il Castellaccio"*, prima del 1907, albumina, 254x190 mm. Bim, *Fondi iconografici*, 19.1.1.17.19

Ugo Tamburini, *"Castel del Rio. Rocca di Cantagallo"*, prima del 1907, albumina, 185x254 mm. Bim, *Fondi iconografici*, 19 k 9 cart. 1 24b

La fotografia è pubblicata in L. Orsini, *op. cit.*, p. 29.

Ugo Tamburini, *"Monte Mauro, alpinisti ed alpiniste"*, 1890 ca, albumina, 165x120 (217x166) mm. Bim, *Fondi iconografici*, 19.2.1.4.40

Ugo Tamburini, *"Riolo Rocca sforzesca"*, prima del 1907, albumina, 188x253 mm. Bim, *Fondi ico-nografici*, 19.1.1.17.39

Ugo Tamburini, *"Dintorni d'Imola. Dozza. Panorama"*, prima del 1907, aristotipo, 152x258 mm. Bim, *Fondi iconografici*, 19.1.1.17.37

La fotografia è pubblicata in L. Orsini, *op. cit.*, p. 61.

Ugo Tamburini, *"Castel San Pietro, il ponte romano, detto del diavolo, sulla Gaiana, Via Emilia"*, prima del 1907, albumina, 122x165 (139x190) mm. Bim, *Fondi iconografici*, 19.2.1.4.41

Sasso - Villa Codronchi

Villa Cocapane - 1898 -

Ugo Tamburini, *"Sasso, Villa Codronchi"*, 1896, albumina, 122x165 (147x202) mm. Bim, *Carte Sfinge*

Ugo Tamburini,*"Villa Coccapane"*, [*Castel San Pietro*], 1897, albumina, 125x171 (148x202) mm. Bim, *Carte Sfinge*

Ugo Tamburini, *Palazzo Malvezzi Hercolani a Castel Guelfo,* prima del 1907, albumina, 190x258 mm. Imola, collezione Arturo Turrini di Sergio e Stefano Turricchia

La fotografia è pubblicata in L. Orsini, *op. cit.*, p. 131.

La collezione dei pazzi del manicomio d'Imola

F in dai suoi esordi in fotografia Tamburini conduce una campagna di ritratti di pazienti psichiatrici, che arricchisce nel tempo e con la quale partecipa a numerose esposizioni fotografiche in Italia e anche all'estero.

In questo periodo a Imola sono create strutture ospedaliere per le cure psichiatriche di primaria importanza a livello nazionale: a partire dal 1869 il Manicomio centrale o di Santa Maria della Scaletta sorto per volontà di Luigi Lolli, affiancato negli anni ottanta, inizialmente con funzione succursale del primo, da un nuovo complesso psichiatrico sul terreno dell'orto Osservanza.

Dopo il passaggio nel 1897 del Manicomio centrale alla Provincia di Bologna, il Manicomio dell'Osservanza, costituito fino ad allora da pochi padiglioni, è notevolmente ampliato e occupa una vasta area in cui trovano posto anche una colonia agricola, officine di lavoro e uno stabilimento bagni per i ricoverati. La nuova struttura, con una capienza di 900 posti letto, è destinata al ricovero dei malati provenienti dalle città romagnole.

Mosso da interessi scientifici, con l'appoggio di alcuni medici dell'ospedale che, in linea con gli indirizzi più aggiornati della disciplina psichiatrica, vedono nella fotografia un valido strumento diagnostico e didattico, Tamburini realizza per la fine del 1892 una serie di ritratti dei malati, che espone nel 1893 a Roma all'esposizione nazionale degli Amatori di fotografia, ad Amburgo alla mostra dei Fotografi amatori e nel 1894 all'Esposizione internazionale di fotografia presso le Esposizioni riunite di Milano. In seguito la collaborazione con il manicomio diventa più continuativa e strutturata, Tamburini realizza una campagna di ritratti dei ricoverati e diversi altri studi, sotto la guida dello psichiatra Raffaele Brugia, sui *tipi* e sulle asimmetrie facciali da presentare nel 1898 all'Esposizione generale italiana a Torino, dove viene premiato con la medaglia d'argento e riceve apprezzamenti da Cesare Lombroso.

All'inizio del Novecento Tamburini realizza anche una campagna fotografica degli ambienti esterni e interni del Manicomio dell'Osservanza, per documentare la modernità e l'efficienza della struttura.

Oltre a una visione d'insieme del complesso, situato in campagna, circondato da siepi o reti metalliche e costituito al suo interno da padiglioni, giardini e viali alberati, sono raffigurati gli spaziosi refettori, l'attrezzata lavanderia, gli ordinati dormitori, i laboratori artigianali dei ricoverati (materassai, calzolai, falegnami), lo stabilimento dei bagni e la colonia agricola.

Con questa raccolta Tamburini partecipa alle esposizioni di igiene a Napoli e a Padova nel 1900, alla Esposizione di igiene ad Ancona nel 1901 in occasione dell'XI congresso della Società freniatrica italiana, e all'Esposizione regionale romagnola che si tiene a Ravenna nel 1904, ottenendo riconoscimenti.

Di questi lavori di Tamburini si è conservata una preziosa documentazione fotografica nell'archivio del Manicomio dell'Osservanza, depositato dall'Azienda sanitaria locale di Imola nella Biblioteca comunale di Imola nel 2010 e attualmente in corso di riordino.

All'interno di questo fondo, il materiale più antico è costituito da alcuni ritratti dei malati eseguiti dal fotografo Francesco Galassi, a lui commissionati verso la metà degli anni ottanta, come documentato dai libri mastri dell'archivio del manicomio di Imola.

I ritratti eseguiti da Ugo Tamburini e conservati nell'archivio fanno riferimento a una campagna fotografica dei ricoverati eseguita attorno agli anni 1896-1898, i cui pagamenti sono registrati dai libri mastri: si tratta di oltre 300 *carte de visite*, nella quasi totalità ritratti di pazienti di sesso femminile. Nell'archivio sono conservate inoltre fotografie di formato maggiore, con i pazienti ripresi frontalmente o di profilo, probabilmente a fini didattici o di studio.

Frequentemente sono presenti annotazioni in calce in cui sono riportati il nome del malato, la provenienza, la patologia e il reparto di cura.

Oltre alle fotografie dei malati, nell'archivio si sono conservate anche le fotografie realizzate da Tamburini alle strutture ospedaliere, sessantasei immagini prevalentemente di grande formato degli ambienti interni e esterni del Manicomio Osservanza, alcune in più esemplari, e della colonia agricola. In alcune di queste immagini l'edificio "Bagni e cure idroterapiche" appare in costruzione, pertanto le fotografie si possono datare tra il 1901 e il 1902.

Ugo Tamburini, *Ritratti di malate,* 1896-1898 ca, albumine, formati vari. Bim, *Archivio Manicomio dell'Osservanza*

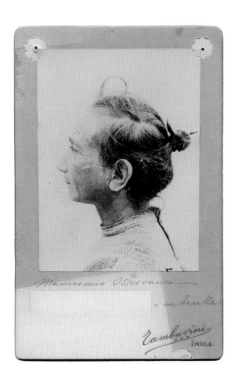

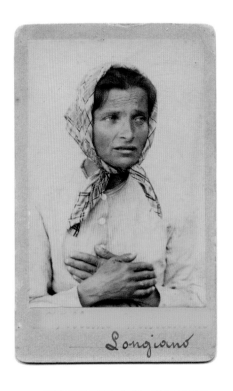

Longiano

Ravenna

Lugo

Imola

Ugo Tamburini, *"Manicomio d'Imola (Osservanza). Veduta generale (l'ora del pranzo)"*, 1901 ca, albumina 197x260 (248x334) mm. Bim, *Archivio Manicomio dell'Osservanza*

Ugo Tamburini, *"Veduta generale dalla cucina"*, 1901 ca, albumina, 200x260 (285x349) mm. Bim, *Archivio Manicomio dell'Osservanza*

Ugo Tamburini, *"Cortile dell'infermeria"*, 1901 ca, albumina, 196x255 (298x348) mm. Bim, *Archivio Manicomio dell'Osservanza*

CONGREGAZIONE DI CARITÀ D'IMOLA

MANICOMIO DELL'OSSERVANZA

Esterno di alcuni padiglioni nuovi

FOTOGRAFIA TAMBURINI · IMOLA

CONGREGAZIONE DI CARITÀ D'IMOLA

MANICOMIO DELL'OSSERVANZA

Cortile della sezione lavoratrici

FOTOGRAFIA TAMBURINI · IMOLA

Ugo Tamburini, *"Esterno di alcuni padiglioni nuovi"*, 1901 ca, albumina, 202x260 (297x349) mm. Bim, *Archivio Manicomio dell'Osservanza*

Ugo Tamburini, *"Cortile della sezione lavoratrici"*, 1901 ca, albumina, 223x257 (298x348) mm. Bim, *Archivio Manicomio dell'Osservanza*

Ugo Tamburini, *"Cortile del padiglione semiagitate"*, 1901 ca, albumina, 187x258 (298x346) mm. Bim, *Archivio Manicomio dell'Osservanza*

Ugo Tamburini, *"Manicomio d'Imola (Osservanza). Officina dei calzolai"*, 1901 ca, albumina, 253x201 (335x246) mm. Bim, *Archivio Manicomio dell'Osservanza*

Ugo Tamburini, *"Manicomio d'Imola (Osservanza). Officina dei materassai"*, 1901 ca, albumina, 258x201 (333x246) mm. Bim, *Archivio Manicomio dell'Osservanza*

Ugo Tamburini, *"Manicomio d'Imola (Osservanza). Refettorio della sezione tranquilli"*, 1901 ca, albumina, 191x260 (246x335) mm. Bim, *Archivio Manicomio dell'Osservanza*

Ugo Tamburini, *"Servizi generali. Distribuzione della biancheria"*, 1901 ca, albumina, 200x251 (285x365) mm. Bim, *Archivio Manicomio dell'Osservanza*

Ugo Tamburini, *"Servizi generali. Distribuzione del vitto"*, 1901 ca, albumina, 190x239 (285x365) mm. Bim, *Archivio Manicomio dell'Osservanza*

CONGREGAZIONE DI CARITÀ D'IMOLA
MANICOMIO DELL' OSSERVANZA

Serv.* gener.* – Distribuzione della biancheria

CONGREGAZIONE DI CARITÀ D'IMOLA
MANICOMIO DELL' OSSERVANZA

Serv.* gener.* – Distribuzione del vitto

Ugo Tamburini, *"Comparto di celle e refettorio nel padiglione infermeria"*, 1901 ca, albumina, 194x254 (285x365) mm. Bim, *Archivio Manicomio dell'Osservanza*

Ugo Tamburini, *"Sala di soggiorno in un padiglione di tranquille"*, 1901 ca, albumina, 199x256 (285x365) mm. Bim, *Archivio Manicomio dell'Osservanza*

Ugo Tamburini, *"Fronte di un padiglione nuovo"*, 1901 ca, albumina, 191x260 (247x333) mm. Bim, *Archivio Manicomio dell'Osservanza*

Con Giuseppe Scarabelli sulle tracce del passato

L'archeologia è tra le prime discipline, fin dalla seconda metà dell'Ottocento, a giovarsi dell'uso della fotografia come strumento idoneo non solo alla documentazione, ma anche alla tutela. In questo ambito Tamburini ha come committente l'imolese Giuseppe Scarabelli, scienziato aggiornato e innovatore, dai vasti interessi in ambito archeologico, geologico e paleontologico.

Scarabelli, il cui utilizzo della fotografia a fini scientifici è documentato fin dalla metà degli anni settanta dell'Ottocento, collabora con il più giovane Ugo Tamburini a partire dagli anni novanta.

Una bella immagine conservata nell'album *Ricordi di Ugo e Gina Tamburini* rende testimonianza dei viaggi di perlustrazione del territorio effettuati da Ugo in compagnia del senatore Scarabelli: la fotografia è scattata sulla via per Fabriano, a ricordo della gita alle Grotte di Frasassi compiuta da Tamburini e Scarabelli nel 1891 e in essa lo scienziato imolese è ritratto, a bordo del *barroccino*, intento a scrutare l'orizzonte con un binocolo.

Dal punto di vista geologico interessanti sono gli scatti effettuati da Tamburini nelle valli del Santerno e del Senio, come a Monte della Volpe, che documentano le particolari conformazioni del territorio.

In ambito archeologico invece particolarmente significative sono le fotografie realizzate da Ugo Tamburini per gli scavi di San Giuliano, condotti a più riprese tra il 1891 e il 1904, che Scarabelli aveva intenzione di pubblicare a corredo della pubblicazione progettata con l'archeologo Edoardo Brizio, poi non realizzata.

Scarabelli inoltre incarica Tamburini di riprodurre i reperti più importanti o curiosi del Gabinetto di storia naturale da lui fondato, da esporre o da inviare ai suoi numerosi corrispondenti.

Di queste lavori fotografici si sono conservate alcune stampe nell'archivio scientifico di Giuseppe Scarabelli presso la Biblioteca comunale di Imola, presso l'archivio del Museo civico archeologico di Bologna e l'archivio della Soprintendenza per i beni archeologici dell'Emilia-Romagna.

L'approccio del fotografo segue le regole ormai codificate della fotografia archeologica, gli scavi vengono ripresi in una posizione sopraelevata per documentare l'area dei lavori e nelle foto dei reperti la resa dei particolari, come le suture craniche nel caso dei teschi, è curata in modo preciso.

Particolarmente significativa è la fotografia dove compare sul luogo degli scavi lo stesso Scarabelli, nell'occasione in compagnia dell'amico archeologo forlivese Antonio Santarelli, uno dei pochi casi in cui lo scienziato imolese è presentato sul campo di lavoro.

Ugo Tamburini, "*In via per Fabriano, nostro equipaggio, ricordo della gita fatta alla Grotta di Frasassi col Senatore Scarabelli e l'Ing Marani 20 ottobre 1891*", 1891, aristotipo, 99x150 mm, in *Ricordi di Ugo e Gina Tamburini*. Bim, *Fondi iconografici*, 19.2.2.6.135

Ugo Tamburini, *"Monte della Volpe tutto costruito da strati di gesso veduto dalla sinistra del fiume Senio a Sassatello"*, 1898, albumina, assemblaggio di due stampe, 251x395 (362x491) mm. Bim, *Fondi iconografici*, 19.1.1.17.45

La fotografia è pubblicata in L. Orsini, *op. cit.*, p. 40.

Ugo Tamburini, *Aspidoceras Rafaeli*, 1896 ca, albumina, 190x247 (320x400) mm. Bim, *Fondi iconografici*, Scara/Fi E 4

Ugo Tamburini, *Ascia ad alette di bronzo dell'età del bronzo recente dal podere Chiesuola di Imola; tintinnabulo e mazzuolo in bronzo e ambra della prima età del ferro dalla chiesa della Sellustra*, 1893-1914, albumina, 204x204 (261x320) mm. Bim, *Fondi iconografici*, 19.1.1.26.3

Ugo Tamburini, *Testa fittile proveniente da Pediano*, 1897?-1914, albumina, 200x250 (248x350) mm. Bim, *Fondi iconografici*, 19.1.1.26.2

UGO TAMBURINI-IMOLA

Ugo Tamburini (attr.), *Giuseppe Scarabelli e Antonio Santarelli accanto a una buca e due focolari, stazione archeologica di S. Giuliano di Toscanella*, 1900, aristotipo, 162x211 (232x285) mm. Bim, *Archivio scientifico di Giuseppe Scarabelli*, Scara / A 154

Ugo Tamburini, *"Cranio estratto tal quale dalla necropoli della Stazione prei-storica in S. Giuliano presso Toscanella"*, 1904 ca, albumina, 182x218 (200x249) mm. Bim, *Archivio scientifico di Giuseppe Scarabelli*, Scara / A 154

Nella vita della città

Ugo Tamburini trascorre quasi interamente la sua vita a Imola: la sua casa, la sua famiglia e i suoi interessi hanno come teatro la città e il territorio, ed egli è quindi testimone dei profondi cambiamenti che connotano Imola e l'Italia in questo delicato periodo storico che lambisce lo scoppio della prima guerra mondiale proprio l'anno della sua scomparsa.

La figura carismatica in città è l'imolese Andrea Costa, coetaneo di Ugo, che dal 1882 è il primo rappresentante socialista alla Camera dei deputati.

In seguito alla vittoria delle forze progressiste nelle elezioni amministrative del 1889, Imola è il primo Comune italiano con un'amministrazione democratica e popolare e Tamburini, eletto nelle file dei democratici, diventa sindaco in seguito alle dimissioni di Luigi Sassi, personaggio di spicco del rinnovamento politico locale. Il suo mandato ha breve durata e termina nel febbraio del 1891.

L'anno 1902 dal punto di vista amministrativo e politico è da ricordare: il 27 marzo muore improvvisamente Luigi Sassi, la sua scomparsa suscita grande cordoglio e Tamburini, compagno di fede politica, documenta le esequie e la commossa partecipazione degli imolesi. Dal 6 al 9 settembre si tiene a Imola nel teatro comunale il settimo congresso nazionale del Partito socialista, un evento che fu occasione per realizzare alcune istantanee dei partecipanti e delle personalità più in vista del partito.

Nel 1907, nei momenti più duri della lotta dei braccianti agricoli della zona di Argenta per l'affermazione dei loro diritti, le città romagnole accolgono con benefica solidarietà i figli degli scioperanti, che Tamburini ritrae nell'immagine di tredici bambini vestiti con i loro abiti migliori, e descritti come "figli di lavoratori di Argenta in sciopero (1907) ospitati da famiglie di lavoratori castellani".

Imola vive in quegli anni una stagione di sviluppo e di rinnovamento: prendono avvio opere pubbliche importanti, sono istituite scuole professionali di valore per la formazione dei giovani imolesi e lo sviluppo economico del territorio. Tra le istituzioni scolastiche spicca la Scuola di arti e mestieri, aperta nel 1881 grazie alla ricca eredità che Francesco Alberghetti aveva lasciato per la promozione degli studi tecnici: essa costituisce fin dai primi anni un'eccellenza nella formazione scolastica cittadina, come testimoniato anche dai riconoscimenti ottenuti in esposizioni, tra le quali quella di Saint Louis nel 1904. Probabilmente in queste occasioni Tamburini riceve l'incarico di realizzare le fotografie degli ambienti scolastici e dei lavori da presentare alle esposizioni, documentando sotto vari aspetti la qualità dei corsi.

Hanno impulso attività economiche artigianali e preindustriali che si affiancano alla tradizionale economia agricola, come la Vetreria operaia federale, costituita nel 1906; un ruolo di rilievo occupa anche la Cooperativa tipografica editrice intitolata dal 1903 a Paolo Galeati, della quale si conservano fotografie degli ambienti di lavoro e dei ritrovi in occasione di anniversari della costituzione.

Il fotografo testimonia inoltre l'organizzazione ospedaliera della città, che vive un grande sviluppo con la creazione di strutture psichiatriche all'avanguardia: il Manicomio centrale o di Santa Maria della Scaletta e il Manicomio dell'Osservanza.

La vita cittadina viene documentata dagli scatti di Tamburini in numerosi altri ambiti e in occasioni specifiche. Egli ritrae il corpo dei pompieri, la cui prima organizzazione come soccorso antincendio cittadino è promossa nel 1866 da Giuseppe Scarabelli, allora sindaco di Imola, e anche la banda musicale, la cui creazione come corpo filarmonico imolese risale al 1822.

Durante le ricorrenze religiose e le feste tradizionali le immagini delle folle fissano nel ricordo la partecipazione degli imolesi: la Segavecchia, il passaggio della processione della Beata Vergine del Piratello nella piazza principale e la mostra mercato dei bovini durante la fiera di San Cassiano.

Negli album di famiglia compaiono invece alcune interessanti fotografie delle grandi manovre militari in Romagna nel 1888. A Imola le truppe furono infatti ospitate a villa Laguna, residenza di campagna dei Tamburini, animata per l'occasione da una folla di soldati, ritratti durante momenti di esercitazioni e di riposo.

Ugo Tamburini (attr.), *"Grandi manovre 1888: artigliera su quel di Castelbolognese"*, 1888, aristotipo, 114x168 mm, in *Imola scomparsa e che scompare. Raccolta fatta dal signor Ugo Tamburini*. Bim, *Fondi iconografici*, 19.1.1.8.143

Ugo Tamburini (attr.), *"Grandi manovre 1888: trombettieri bersaglieri sul Santerno"*, 1888, aristotipo, 116x167 mm, in *Imola scomparsa e che scompare. Raccolta fatta dal signor Ugo Tamburini*. Bim, *Fondi iconografici*, 19.1.1.8.145

Ugo Tamburini, *"Il mercoledì delle Rogazioni"*, 1896 ca, aristotipo al collodio, 124x167 (139x200) mm. Bim, *Fondi iconografici*, 19.2.1.4.8

Gino Montalti, *"Sega vecchia in Imola 1904 Gino nel carro dei bambini. Foto Dott. Montalti"*, 1904, aristotipo, 113x85 mm, in *Album famiglia Tamburini*. Fototeca della Biblioteca Panizzi - Reggio Emilia, n. inv. 82654 (deposito Mariella de Martinis)

Ugo Tamburini, *"Sega vecchia 1897"*, 1897, albumina, 161x201 mm, in *Album famiglia Tamburini*. Fototeca della Biblioteca Panizzi - Reggio Emilia, n. inv. 82540 (deposito Mariella de Martinis)

Ugo Tamburini, *Squadra dei pompieri con l'attrezzatura per gli interventi*, dopo il 1898, albumina, 205x261 (300x373) mm. Imola, collezione Maurizio Flutti

Ugo Tamburini (attr.), *"Fiera bestiame (S. Cassiano)"*, 1900 ca, aristotipo, 43x57 mm, in *Imola scomparsa e che scompare. Raccolta fatta dal signor Ugo Tamburini*. Bim, *Fondi iconografici*, 19.1.1.8.128

Ugo Tamburini (attr.), *"Congresso nazionale socialista settembre 1902"*, 1902, aristotipo, 116x138 mm, in *Imola scomparsa e che scompare. Raccolta fatta dal signor Ugo Tamburini.* Bim, *Fondi iconografici*, 19.1.1.8.115

Ugo Tamburini (attr.), *"Turati, Bonomi e la Kouliscioff"*, 1902, aristotipo, 64x57 mm, in *Imola scomparsa e che scompare. Raccolta fatta dal signor Ugo Tamburini.* Bim, *Fondi iconografici*, 19.1.1.8.119

Ugo Tamburini, *Andrea Costa, uscito dal carcere il 4 ottobre 1899*, 1899, albumina, 120x71 mm, in *Album Andrea Costa*. Bim, *Carte Andrea Costa*, Appendice 5.5

Ugo Tamburini (attr.), *"C[osta] giuoca a bocce con Francesco e Anselmo Marabini"*, 1905 ca, gelatina a sviluppo, 82x129 mm, in *Album Andrea Costa*. Bim, *Carte Andrea Costa*, Appendice 5.23

Ugo Tamburini, *"Bambini, figli di lavoratori di Argenta in sciopero, ospitati da famiglie di lavoratori castellani"*, 1907, aristotipo, 240x176 mm, Castel Bolognese, Biblioteca comunale Luigi Dal Pane, *Fondo Pietro Costa*, n. 768

Ugo Tamburini, *"Vetreria operaia federale"*, 1906 ca, aristotipo, 117x168 mm. Bim, *Fondi iconografici*, 19.1.1.19.74

Ugo Tamburini, *"Vetreria operaia federale"*, 1906 ca, aristotipo, 115x169 mm. Bim, *Fondi iconografici*, 19.1.1.19.76

Ugo Tamburini, *"Cooperativa Tipografica Editrice Paolo Galeati 3° anniversario villa Palazza"*, 1903, albumina, 169x260 (245x321) mm. Bim, *Archivio della Cooperativa tipografica editrice "Paolo Galeati" di Imola, Materiale fotografico e pubblicitario*, n. 1

Ugo Tamburini, *Al lavoro alla Cooperativa tipografica editrice "Paolo Galeati"*, 1903-1914, albumi-na, 200x249 (242x328) mm. Bim, *Archivio della Cooperativa tipografica editrice "Paolo Galeati"di Imola, Materiale fotografico e pubblicitario*, n. 1

Ugo Tamburini, *"Imola Scuola Alberghetti officina meccanica"*, 1904-1911, albumina, 248x189 mm. Bim, *Fondi iconografici*, 19.1.1.19.36

Ugo Tamburini, *"Fisica e chimica laboratorio e scuola"*, 1904-1911, albumina, 115x168 (421x320) mm. Imola, *Archivio dell'Istituto d'istruzione superiore Francesco Alberghetti*

I ricordi di Ugo, la memoria di Imola

Negli ultimi anni, Ugo Tamburini raccoglie in album le immagini di *fatti, cose e uomini* del suo tempo e numerosi ritratti di cittadini imolesi, annotando nomi, circostanze e luoghi. Questi album furono destinati dalla famiglia alla Biblioteca comunale e costituiscono una fonte storica di rilievo per gli studi locali.

Le fotografie, realizzate dallo stesso Tamburini ma anche da altri fotografi come Francesco Galassi, coprono un arco cronologico che va dai primi anni sessanta dell'Ottocento fino al 1914. Nelle ultime pagine degli album sono state aggiunte inoltre fotografie di epoca successiva, proseguendo l'intento di Ugo di realizzare un diario fotografico di memorie.

L'album *Imola scomparsa e che scompare: e fatti e cose, e uomini pure scomparsi*, in cui sono raccolte centottantadue fotografie, compie un viaggio attraverso una città che si sta trasformando.

Sotto i colpi del piccone sono abbattuti o profondamente modificati luoghi ed edifici che facevano parte dell'antico tessuto urbano, nel nome di una modernità che aspira a cancellare luoghi decadenti o angusti delle età passate. Vengono atterrate le mura e le antiche porte cittadine ed edifici civili e religiosi come casa Zanelli, palazzo Bissini, la chiesa del Santo Nome di Maria.

Con sensibilità e attenzione sono raccolte anche le immagini degli oggetti d'arte di proprietà di imolesi e di numerose suppellettili ecclesiastiche, principalmente di oreficeria e di tessuto.

Tra gli uomini del suo tempo, testimone del proprio ruolo nella storia della città, lo stesso Ugo inserisce un suo ritratto, in età attempata, seduto in giardino con il bastone da passeggio, accompagnato dalla didascalia *Ugo Tamburini, già Sindaco d'Imola, iniziatore di questa raccolta.*

In *Imola nostra! Raccolta fotografica di cittadini imolesi*, sono raccolti quattrocentonovantadue ritratti di persone, i cui nomi sono indicati in alcuni fogli manoscritti inseriti all'interno dell'album: nella prima parte, fino all'immagine collocata al n. 384, vi sono i ritratti inseriti nell'album dallo stesso Tamburini, alcuni realizzati dallo studio imolese di Francesco Galassi.

Nell'Imola di Ugo vi sono gli esponenti delle famiglie nobili e i ricchi possidenti, ma anche tutte le "personalità" che caratterizzano la cittadina di provincia: il telegrafista, i medici dell'ospedale, il maestro con la moglie, i garibaldini della prima e seconda ora, oltre, naturalmente, ai membri della famiglia Tamburini.

L'album *Raccolta fotografica di cittadini imolesi* presenta cinquecentododici ritratti fotografici. In alcuni fogli manoscritti inseriti all'interno dell'album sono riportati i nomi degli effigiati. Appartenuto originariamente alla famiglia Tozzoli, come indicato in un'annotazione nel verso della coperta anteriore, l'album presenta numerose fotografie datate in prevalenza tra il 1860 e il 1864. Ugo Tamburini, entratone in possesso, integra la serie dei ritratti degli imolesi, consegnandoci una galleria di volti, uomini e donne, della città.

"Ugo Tamburini, già Sindaco d'Imola, iniziatore di questa raccolta",
prima del 1914, gelatina a sviluppo, 108 x 79 mm, in *Imola scomparsa e che scompare. Raccolta fatta dal signor Ugo Tamburini*. Bim,
Fondi iconografici, 19.1.1.8.24

Ugo Tamburini (attr.), *"Porta Romana, demolita nel 1905"*, prima del 1905, gelatina a sviluppo, 188x247 mm, in *Imola scomparsa e che scompare. Raccolta fatta dal signor Ugo Tamburini.* Bim, *Fondi iconografici*, 19.1.1.8.7

Ugo Tamburini (attr.), *"Barriera di P.ta Bologna, demolita nel 1906"*, prima del 1906, gelatina a sviluppo, 169x248 mm, in *Imola scomparsa e che scompare. Raccolta fatta dal signor Ugo Tamburini.* Bim, *Fondi iconografici*, 19.1.1.8.9

Ugo Tamburini, *"Demolizione delle mura di cinta della città (lato Nord) 1906"*, prima del 1906, 2 fotografie, aristotipo, 187x252 e 163x249 mm, in *Imola scomparsa e che scompare. Raccolta fatta dal signor Ugo Tamburini.* Bim, *Fondi iconografici*, 19.1.1.8.59-60

La fotografia n. 60 è pubblicata in L. Orsini, *op. cit.*, p. 93.

Ugo Tamburini (attr.), *"Torrione di San Giuliano demolito nel 1906"*, prima del 1906, gelatina a sviluppo, 145x257 mm, in *Imola scomparsa e che scompare. Raccolta fatta dal signor Ugo Tamburini.* Bim, *Fondi iconografici*, 19.1.1.8.10

Ugo Tamburini (attr.), *"Quartiere Saragozza (lato Sud): prima della demolizione delle mura: lungo le vecchie mura"*, prima del 1906, gelatina a sviluppo, 153x119 mm, in *Imola scomparsa e che scompare. Raccolta fatta dal signor Ugo Tamburini*. Bim, *Fondi iconografici*, 19.1.1.8.49

Ugo Tamburini (attr.), *"Chiesa S. Nome di Maria demolita nel 1910: prospet-to"*, prima del 1910, gelatina a sviluppo, 154x112 mm, in *Imola scomparsa e che scompare. Raccolta fatta dal signor Ugo Tamburini*. Bim, *Fondi iconografici*, 19.1.1.8.44

Ugo Tamburini (attr.), *"Antica casa Zanelli, demolita nel 1897"*, prima del 1897, gelatina a sviluppo, 247x190 mm, in *Imola scomparsa e che scompare. Raccolta fatta dal signor Ugo Tamburini.* Bim, *Fondi iconografici*, 19.1.1.8.34

Ritratti di imolesi, 1862-1890, 3 albumine, in *Raccolta fotografica di cittadini imolesi fatta dal signor Ugo Tamburini*. Bim, *Fondi iconografici*, 19.1.1.5.142-144

Ritratti di Virginia Guidi in Scheda (142), Ida Guidi Scheda (143), Antonietta Galvani Cerchiari (144). In appendice all'album vi è l'elenco degli effigiati.

Ritratti di imolesi, prima del 1914, 8 albumine, in *Imola nostra! Raccolta fotografica di cittadini imolesi fatta dal signor Ugo Tamburini*. Bim, *Fondi iconografici*, 19.1.1.3. p. 14

Ritratti di prof. Balestrazzi e famiglia (59), Francesco Castellari, Biagio Dal Prato, Attilio Cenni, Cesare Tozzoli, Luigi Capra, Ulisse Pollastri, Ferdinando Bambi, Francesco Cenni, Antonio Venturini (60), march. Luigi Zappi e sorella (61), conte Luigi Ginnasi e march. Luigi Zappi (62), Pietro Codronchi (63), Pietro Piani (64), cav. Felice Casoni e figlio Battista (65), Battista Dall'Oppio e Raffaele Plata (66).

Ritratti di imolesi, prima del 1914, 7 albumine, in *Imola nostra! Raccolta fotografica di cittadini imolesi fatta dal signor Ugo Tamburini.* Bim, *Fondi iconografici,* 19.1.1.3. p. 7

Ritratti di Antonio Zampieri (19), Luciano Toschi (20), Cesare Riscola (21), famiglia Nerozzi (22), Alfonso Croci (23), Pietro Codronchi (24), ing. Giuseppe Marani (25).

Bibliografia essenziale

Manoscritti

Documenti riferentesi alla vita e all'attività del fotografo imolese Ugo Tamburini
Bim, *Miscellanea manoscritti*, ms. n. 55.

LUIGI ORSINI, *Un valente fotografo. Studio critico artistico. Gennaio 1898*. Ms., cartaceo
Bim, *Miscellanea manoscritti*, ms. n. 55.

Opere a stampa

ROMEO GALLI, *I manoscritti e gli incunaboli della Biblioteca comunale di Imola*, Imola,
Galeati, 1894.

Museo nazionale Ravenna, settanta tavole fotografiche, [di] Ugo Tamburini, Imola stabilimento fotografico premiato con medaglia d'argento alle esposizioni artistiche Roma 1893, Amburgo 1893, Milano 1894, Imola, tip. Galeati, 1894.

Imola, Milano, Sonzogno, 1895, supplemento a "Il Secolo", 25 aprile 1895. Dispensa 100 de "Le cento città d'Italia. Supplemento mensile illustrato del Secolo", serie IX.

"Imola e suoi dintorni. Album fotografico storico dello stabilimento Ugo Tamburini", Imola, tip. Galeati, 1899-1900. Serie di tre fascicoli: n. 1, gennaio 1899, n. 2, novembre 1899, n. 3, giugno 1900.

GUSTAVO CHIESI, *Provincia di Bologna*, Torino, Unione tipografico editrice, 1900 (fa parte dell'opera *La patria. Geografia dell'Italia*, opera compilata dal prof. *Gustavo Strafforello*).

LUDOVICO MARINELLI, *Le rocche d'Imola e di Forlì*, Bergamo, Istituto italiano d'arti grafiche, 1904. Estratto da "Emporium", 10, 1904, fasc. 117-118.

CORRADO RICCI, *Raccolte artistiche di Ravenna*, Bergamo, Istituto italiano d'arti grafiche, 1905 (*Collezione di monografie illustrate*, 5° serie *Raccolte d'arte*, n. 2).

RAFFAELE BRUGIA, *I problemi della degerazione*, con proemio del prof. E. Morselli della r. Università di Genova, Bologna, Zanichelli, 1906.

Luigi Orsini, *Imola e la Valle del Santerno*, Bergamo, Istituto italiano d'arti grafiche, 1907 (*Collezione di monografie illustrate*, 1° serie *Italia artistica*, n. 30). Riedito nel 2004: Luigi Orsini, *Imola e la Valle del Santerno*, a cura di Gabriele Angelini, introduzione di Antonio Castronuovo, Imola, A&G, 2004.

Galassi-Tamburini & C. Imola negli anni dal 1860 al 1914, a cura di Gian Franco Fontana e con testi di Domenico Berardi, Bologna, ALFA, 1971. Ristampato nel 1989 con il titolo *Imola democratica. Imola negli anni dal 1860 al 1914* (a cura di Gian Franco Fontana e con testi di Domenico Berardi, Imola, Santerno, 1989).

Wladimiro Settimelli, *Galassi e Tamburini*, in "Fotografare. Mensile di fotografia, attualità e cultura", 5, 1971, n. 7, pp. 35-37.

Wladimiro Settimelli, [Galassi-Tamburini & C. Imola negli anni dal 1860 al 1914] recensione, in "Nuova fotografia. Mensile di cultura tecnica e informazione", 2, 1971, n. 8.

Gian Franco Fontana, *Stabilimento tipografico Ugo Tamburini di Imola. Imola e i suoi dintorni ...*, in *Un tipografo di provincia. Paolo Galeati e l'arte della stampa tra Otto e Novecento*, a cura di Marina Baruzzi, Rosaria Campioni, Vera Martinoli, Imola, Editrice cooperativa A. Marabini, 1991, pp. 211-213.

Gian Franco Fontana, *Il sindaco fotografo*, in "Università aperta terza pagina", 2, 1992, n. 4, p. 7.

Giorgia Ederi, *Ugo Tamburini*, in Idem, *La salvaguardia e la valorizzazione del territorio imolese attraverso la pubblicistica locale tra XIX e XX secolo*, relatore Roberto Balzani, Bologna, Università degli studi, 2005/2006, pp. 21-26. Tesi di laurea in in storia e tutela paesistica del territorio, presentata presso la Facoltà di conservazione dei beni culturali, Laurea in beni storico-artistici e musicali.

Liliana Vivoli, *Via Emilia 27 B, 27 A, 27, 25 D - casa Poggiolini poi Tamburini*, in Idem, *La via Emilia in Imola tra Ottocento e Novecento: dal centro alla porta d'Alone*, fotografie e ricerca iconografica di Gabriele Angelini, introduzione di Giuliano Gresleri, Imola, A&G, 2007, pp. 140-141.

Liliana Vivoli, *Via Emilia 92, 94, 96 - la posta antica, poi casa Gramigni Tamburini*, in Idem, *La via Emilia in Imola tra Ottocento e Novecento: dal centro alla porta d'Alone*, fotografie e ricerca iconografica di Gabriele Angelini, introduzione di Giuliano Gresleri, Imola, A&G, 2007, pp. 306-309.

I Quaderni di Tracce

I Quaderni di Tracce

Finito di stampare nel settembre 2014 presso la Tipografia Fanti
per conto di Gabriele Angelini Photo Editore in Imola